Savoir goûter le vin

Enrico Bernardo

Photographies
Olivier Roux
WY Production

Avec la collaboration de
Frédéric Couderc
et Mary Bernardo

Savoir goûter le vin

Plon

Photographies
Olivier Roux – WY Production

Direction artistique et couverture
Véronique Podevin

Conception graphique et réalisation
Wilfrid Vertueux

PRÉFACE **8**
CHERS LECTEURS **11**

Apprendre
la dégustation

LE VIN PAR LES SENS **20**
LE TOUCHER ET L'OUÏE **27**
L'ŒIL **28**
LE NEZ **46**
LA BOUCHE **75**

Les grands
terroirs et vins
du monde

LA FRANCE, LES GRANDS CRUS **100**
À LA DÉCOUVERTE DES VINS DU MONDE **127**
L'EUROPE **133**
LES NOUVEAUX MONDES **153**
LES INSOLITES **167**

Les gestes
du vin

QUEL VIN POUR QUEL ÉVÉNEMENT? **174**
CHOISIR SA BOUTEILLE **177**
LA TEMPÉRATURE DE SERVICE **178**
LE DÉFAUT DE BOUCHON **180**
LA DÉCANTATION **183**
LE VERRE **185**
ORDRE DE SERVICE **187**
MARIAGE METS ET VINS **188**
COMMENT BÂTIR SA CAVE **192**

CHERS LECTEURS, FIN **198**
LES MOTS DU VIN **202**

Préface de Robert JOSEPH
Fondateur et directeur d'International Wine Challenge et *Wine International Magazine*

On assiste au début du XXIe siècle à une véritable révolution viticole. Dans le Nouveau Monde, on plante des vignes et on crée des vins à un rythme sans précédent. Il s'ouvre plus d'une entreprise viticole par jour dans les Amériques, en Australie, en Nouvelle-Zélande et en Afrique du Sud. Entre 1985 et 2003, l'étendue des plantations de chardonnay, de pinot noir et de cabernet sauvignon a plus que triplé en Californie, tandis que le merlot est passé d'un petit millier d'hectares à presque 22 000. Pour beaucoup, ces vignes apparaissent dans des régions réputées telles que la Hunter Valley en Australie, la Napa Valley en Californie et Constantia en Afrique du Sud, où on fabriquait déjà des vins avant même qu'en produisent certains secteurs du Médoc. Mais il existe aussi de nombreuses zones d'exploitation plus récentes, comme Marlborough en Nouvelle-Zélande, à présent mondialement connu pour la qualité de son sauvignon blanc (ainsi que pour les investissements qu'y réalisent des producteurs de la Loire) et dont l'inscription dans l'histoire du vin remonte à au moins trente ans.

La situation n'évolue pas moins rapidement en Europe. Des viticulteurs ambitieux installés dans des terroirs autrefois moins considérés – le Languedoc-Roussillon, La Mancha ou Priorat en Espagne, Puglia en Italie ou l'Alentejo au Portugal – fournissent de plus en plus de crus dignes de figurer parmi les meilleurs. Aujourd'hui, seuls les ignorants ou les sectaires les plus butés oseraient prétendre que, sous l'étiquette d'un Margaux ou d'un Meursault, une bouteille contiendrait un vin plus fin que si elle provenait du Minervois, de Mendocino en Californie, de Maipo au Chili ou de Margaret River en Australie.

Le monde du vin n'échappe pas à l'esprit d'exploration et d'innovation qui caractérise notre temps. Même dans les régions les plus traditionnelles d'Europe, les producteurs expérimentent des assemblages de cépages et créent des styles originaux, avec le même bonheur que ces nouveaux chefs qui ont appris, avec intelligence, à introduire de nouvelles techniques et associations de saveurs.

Les révolutions, quand elles deviennent permanentes –c'est le cas ici –, modifient le paysage. De nouvelles cartes s'imposent et il faut, pour les dresser, des cartographes compétents et sans préjugés, capables de distinguer un succès éphémère d'une valeur sûre.

Enrico Bernardo est précisément ce spécialiste compétent dont nous avons besoin aujourd'hui, dont nous aurons encore plus besoin demain. Est-ce un hasard si ses racines se situent dans une région qui, on peut le dire, incarne à la fois le génie du Nouveau Monde et celui de l'Ancien ? La Basilicata s'honore de posséder quelques-uns des plus vieux vignobles d'Europe et une variété de raisin des plus appréciées, l'aglianico. Or, les vins de la Basilicata figuraient rarement sur les cartes des grands restaurants, avant que la dernière génération de vignerons y consacre tous ses efforts.

D'ailleurs, et ce n'est sûrement pas un hasard, Enrico Bernardo s'est intéressé à l'œnologie par le biais de la cuisine : il avait fait ses preuves en tant que jeune chef avant de s'initier véritablement au monde du vin. En d'autres termes, il était déjà expert en parfums, en saveurs et en textures avant de se confronter aux règles strictes – et parfois étroites – de l'œnologie.

Si son parcours et ses aptitudes ont largement compté dans son succès, sa personnalité fut tout aussi déterminante. Parfois, certains sommeliers, par leur attitude rigide, dissuadent d'éventuels aventuriers qui seraient prêts, pour le plaisir, à explorer la jungle de bouquets inconnus, et ils leur imposent de s'en tenir aux appellations familières. Mais Enrico Bernardo (n'oublions pas ses origines italiennes) exerce son savoir avec autant d'aisance et de légèreté qu'il porte le costume. Quel plaisir de rencontrer un connaisseur qui estime que chaque récolte est l'occasion de reconsidérer ou de découvrir une région, un cépage ou un producteur ! Ajoutons que, comme la plupart des surdoués authentiques, il ne demande qu'à communiquer sa science et son enthousiasme.

À une époque où, à côté de châteaux réputés vendus au prix fort et à grands coups de marketing, de vins « body-buildés » et maquillés pour plaire à un petit groupe de critiques influents, l'on voit de bons crus sans appellation qui, comme la peinture ou la musique, nécessitent pour les apprécier un minimum de connaissances, en éclaireur passionné Enrico Bernardo est devenu indispensable pour en assurer la trace et la continuité.

CHERS LECTEURS,

J'ai passé mon enfance à quelques kilomètres de Milan, cadet choyé d'une famille originaire du Sud qui comptait sept enfants. J'ai grandi au cœur – le terme est juste – d'une famille italienne où l'amour, la chaleur et les rires étaient notre ordinaire. Des parents très unis, durs à la tâche : un père acharné au travail, ouvrier la journée et maçon le soir pour que nous puissions bénéficier des meilleures études, une mère, surveillante de collège, régnant sur les fourneaux avec l'assurance d'une reine.

Après l'école, les jeux et les matchs de foot, dans le jardin de l'immeuble où nous habitions, j'aimais me réfugier dans la cuisine de ma mère, un cocon imprégné d'odeurs généreuses comme de belles promesses. Celles d'être ensemble et de partager ces plaisirs sensuels qui enivraient le palais des adultes, mais remplissaient le ventre des enfants, plus prosaïques. Je me souviens de ces tablées joyeuses, autour d'une table aussi savoureuse qu'abondante, qui accueillaient toujours des voisins et des amis. Les repas qui nous réunissaient étaient l'un des pivots de la vie d'autrefois en famille ainsi que des moments d'échanges intenses, d'apaisement et de reconnaissance de chacun. En réalité, nous avions toujours faim parce que nous avions un bel appétit de la vie.

C'est dans cette cuisine, où ma mère s'affairait pour sa couvée, que je fus initié.

Mes parents.

Dès l'âge de six ans, j'ai observé ses gestes, goûtant les plats, humant les ingrédients, enregistrant à jamais dans ma mémoire les noms des épices et des herbes aromatiques. Je suis un renifleur « nez ». À sept ans, l'origan, le basilic, le cumin, la coriandre, la ciboulette, l'aneth, les piments, les poivres, le clou de girofle, la muscade… n'avaient plus de secrets pour moi. C'est encore dans cette cuisine que j'ai développé mes sens, affiné mes goûts. Dès la petite enfance et grâce à mon père, je savais faire la différence sur l'étal du marché entre un filet et un faux-filet, un poisson de la Méditerranée ou de l'Atlantique.

Une nourriture bien comprise : le frais, les fruits et légumes de saison, les préparations maison, les repas à heures fixes − il n'y a pas d'obèse chez nous − nous apportait le bien-être, une convivialité et une richesse partagées, mais elle nourrissait aussi nos énergies. J'ai toujours entendu ma mère dire : « On aura bien le temps de se reposer quand on sera morts. » Cette énergie fit de nous des obstinés. Je n'ai pas échappé au chemin tracé par mes parents. Comme eux, j'ai basculé dans le monde du travail à peine sorti de l'enfance. À cette époque, deux de mes sœurs tenaient un modeste hôtel en Ligurie, agrémenté d'un restaurant en bordure de plage. J'y travaillais quinze heures par jour pendant tout l'été, m'acquittant de ma tâche avec une volonté de fer qui abolissait la fatigue. Fasciné par cet univers, je m'inscrivis à l'école hôtelière Carlo Porta de Milan, la meilleure de toute l'Italie. C'est là que s'est accomplie ma destinée.

De ma banlieue, le train de 7 h 01 me propulsait dans le centre-ville et je me suis très vite adapté aux codes urbains de la cité lombarde, comme si mon enthousiasme avait le pouvoir de dynamiter les frontières mentales qui séparent les hommes ou que l'instinct m'intimait de faire provision du meilleur de chacun d'eux.

J'ai effectué mon premier stage dans un très ancien établissement de Milan, le restaurant Da Berti. Son chef, Paolo, m'a enseigné les rudiments de la cuisine avec une infinie patience. Des gestes que j'effectuais en trois heures les premiers jours de mon apprentissage ne me demandaient plus que quinze minutes à la fin de l'année. Durant la saison d'été, l'école m'a envoyé à l'étranger : quatre mois dans une auberge autrichienne le Post Hotel, à Innichen. À ma « libération », armé de mon savoir-faire tout neuf, je retrouvai mes professeurs de l'école Carlo Porta. Mes progrès attiraient les regards. En fin d'année, je fus sélectionné parmi mes camarades pour participer au concours du meilleur jeune cuisinier d'Europe qui se déroulait en Sicile. Sans l'avoir espéré une seconde, je remportai le titre. Je découvris le vin par ce chemin de traverse.

Au commencement, il y a le verbe. Un accompagnateur prestigieux s'était mêlé à nous lors de ce voyage en Sicile : Giuseppe Vaccarini, meilleur sommelier du monde en 1978, qui enseignait à l'école hôtelière. Indifférent jusque-là à cette discipline, je n'avais jamais approché cet homme. Bouche bée, je l'ai entendu marteler les mots de puissance, émotion, harmonie, sensation, le terme « équilibre » se plaçant au centre d'un grand dispositif fascinant dont je ne parvenais pas à saisir le sens profond. Ainsi existait-il un univers aux possibilités infinies, d'une complexité et d'un raffinement extrêmes, que la pratique de la cuisine ne m'avait pas dévoilé… J'ai bu mon premier verre en sa compagnie, ce fut ma seconde découverte. Je n'imaginais pas encore que se nouerait, grâce à lui, un lien si intime et indéfectible, entre le vin et moi. J'ai fait ma première reconnaissance à l'aveugle à ses côtés quelques mois plus tard − c'était un gewurztraminer vendanges tardives. Et c'est lui, enfin, qui a assuré ma préparation aux divers concours de sommelier. J'étais ainsi sur la voie lumineuse, secrète et difficile du vin.

A gauche, ma mère en train de rouler la pâte pour faire les « fruzuet ».

Après avoir dévoré *L'Encyclopédie du vin* de Jancis Robinson, j'ai enchaîné les séjours dans les établissements prestigieux : à tout seigneur, tout honneur, en France d'abord, chez les frères Troisgros, puis dans le plus célèbre restaurant scandinave : Franska Matsalen du Grand Hôtel. J'ai beaucoup appris à Stockholm en courant les dégustations organisées par les ambassades des pays producteurs de vin. C'était une initiation assez originale qui me permit d'acquérir une vision

« internationale » du monde viticole sans bourse délier. Il m'arrivait de jouer à saute-mouton dans la même soirée, quittant l'ambassade américaine pour celle d'Argentine, avant de frapper aux portes de la chancellerie australienne.

À vingt ans, je remportai le titre de meilleur sommelier d'Italie. Le titre européen me fut attribué en 2002. Je quittai alors la belle maison du Clos de la Violette, à Aix-en-Provence, où j'étais chef sommelier, pour rejoindre Éric Beaumard directeur du V, restaurant du Four Seasons Hôtel George V à Paris, riche d'une cave de soixante mille bouteilles, plus de deux mille références parmi les meilleurs vins du monde !

Tout visiteur qui vient chez moi comprend comment s'acquiert le titre de meilleur sommelier du monde. Mes murs sont tapissés de cartes des vignobles du monde entier. J'ai parcouru plusieurs centaines de ces domaines avant de me présenter au concours, en octobre 2004, dans la capitale hellène. Parmi les deux mille spectateurs qui assistaient à la

Photo de gauche : Avec Giuseppe Vaccarini, meilleur sommelier du monde 1978, mon mentor.

finale au théâtre d'Athènes, un groupe d'une soixantaine de personnes agitait des drapeaux italiens. Que pouvais-je craindre ? Un rhume. Cela n'arriva pas, et j'emportai le titre. J'éprouvai une joie immense, avant qu'une sorte de confusion s'empare de moi. Je m'étais préparé depuis tant d'an- nées : apprendre, fixer mes connaissances dans le disque dur de ma mémoire et continuer mes recherches…

La dégustation est une longue partie d'échecs aux combinaisons infinies. Cépage, millésime producteur, région…

Côté cuisine, on n'a jamais fini de découvrir de nouvelles alliances, mes «tiroirs» intérieurs s'ouvrant au gré des humeurs, du plat ou de la personnalité du buveur. J'aime attraper au vol le désir de l'autre. Même s'il m'arrive parfois de me tromper… Le vin rend humble comme il rend meilleur.

Apprendre la dégustation

LE VIN PAR LES SENS

LE TOUCHER ET L'OUÏE

L'ŒIL

LE NEZ   LA BOUCHE

LE VIN PAR LES SENS

La dégustation m'a ouvert les portes
du plaisir et de l'analyse scientifique.
Après des années d'apprentissage, toujours
en quête du savoir le plus juste, mêlant
inlassablement la volupté de la dégustation
à l'expérience, j'ai découvert combien une
bouteille est la synthèse d'un parfait équilibre
entre la nature, la main de l'homme,
les technologies et l'histoire viticole.
La dégustation n'est autre que l'expression
de cette connaissance, créatrice d'harmonie.

Le dégustateur se sert principalement des trois analyses organoleptiques, d'importance égale, pour « découvrir » un vin : l'examen visuel, l'examen olfactif et l'examen gustatif. Et, pour compléter sa dégustation, et à moindre échelle, le toucher et l'ouïe.

Avant de porter un vin en bouche, plus d'une minute est nécessaire pour apprécier la robe et aimer le bouquet. Sous-estimer cette étape de la dégustation ou la voir comme un rituel pompeux, c'est méconnaître l'esprit du vin avant même d'en apprécier le corps, et se satisfaire de l'apparence sans s'interroger sur la substance. Or l'examen visuel et olfactif fournit 70 % des informations sur un vin. Et goûter n'est que confirmer…

Un vin se déguste humblement. L'arrogant ne peut analyser les vins car la dégustation est une opération délicate qui ne mène jamais à des conclusions simplistes, improvisées, et encore moins à des généralisations. Juger de l'harmonie complexe du vin, de son état d'évolution et de sa capacité de vieillissement, nécessite une grande expérience qui ne peut s'acquérir qu'avec le temps, la passion, le plaisir de progresser et une réflexion permanente.

CRITÈRES DE DÉGUSTATION ET TERMINOLOGIES DU VIN
par Enrico Bernardo

L'ŒIL

	LA ROBE			LES REFLETS	
BLANCS	**ROSÉS**	**ROUGES**	**BLANCS**	**ROSÉS**	**ROUGES**
Jaune vert	Rose pâle	Rouge pourpre	Argenté	Gris	Noirs
Jaune paille	Rose pétale de rose	Rouge rubis	Vert	Violines	Bleus
Jaune or	Rose saumon	Rouge grenat	Paille	Pâles	Violines
Jaune ambré		Rouge tuilé	Or	Pétale de rose	Pourpres
Jaune topaze	Rose cerise	Rouge orangé	Vieil or	Saumon	Rubis
	Rose claret		Ambré	Framboise	Grenat
			Topaze	Cerise	Brique
			Orangés	Claret	Tuile
			Cuivrés	Pelure d'oignon	Orangés
			Marron		Marron
				Orangés	

LA LIMPIDITÉ	LA MATIÈRE COLORANTE	LA FLUIDITÉ	L'EFFERVESCENCE		
Brillante	Riche	Visqueuse	*La finesse des bulles*	*Persistance des bulles*	*La quantité des bulles*
Cristalline	Moyenne	Très dense	Élégante	Longue	Nombreuse
Limpide	Faible	Dense	Grossière	Moyenne	Faible
Peu limpide		Peu consistante		Courte	
Trouble		Fluide			

LE NEZ

PREMIER NEZ

ÉVOLUTION DU BOUQUET	INTENSITÉ	PERSISTANCE	MATURITÉ DU FRUIT	ÉLEVAGE EN BOIS	QUALITÉ
Bouquet primaire	Forte	Longue	Trop mûr	Élégant	Excellente
Bouquet secondaire	Bonne	Bonne	Mature	Prononcé	Raffinée
Bouquet tertiaire	Discrète	Discrète	Vert	Vulgaire	Discrète
	Faible	Courte	Moisi		Médiocre
	Insuffisante	Insuffisante			Mauvaise

DEUXIÈME NEZ

NATURE DU BOUQUET	FAMILLE D'ARÔMES	PARFUMS
Ample, vineux, franc, éther, aromatique, grillé, minéral, fumé, barriqué, fragrant, linéaire, fidèle, ouvert, fermé, pur, complexe, lactique, madérisé…	Fleurs Herbes aromatiques Végétaux-Herbacées Fruits Sous-bois Épices Animaux Bois Senteurs diverses Arômes négatifs	Acacia, truffe, poire, framboise, poivre blanc, cuivre, noire, thym, poivron vert, café, silex…

LA BOUCHE

PREMIERS INSTANTS

SOUPLESSE ← → *DURETÉ*

Sucre	Alcool	Polyalcools	Acidité	Tanins	Sapidité Minéralité
Liquoreux	Généreux	Très souple	Vert	Astringents	Très sapide- très minérale
Doux	Chaleureux	Souple	Très frais	Anguleux	Sapide- minérale
Demi-doux	Discret	Rond	Frais	Tanniques	Légèrement sapide- légèrement minérale
Demi-sec	Léger	Peu rond	Faible	Arrondis	
Sec	Faible	Dur	Plat	Mous	

LE CŒUR DE LA BOUCHE

Corps	Équilibre	Intensité	Persistance	Qualité
Lourd	Équilibré	Forte	Longue	Excellente
Puissant	Assez équilibré	Bonne	Bonne	Raffinée
Structuré	Déséquilibré	Discrète	Discrète	Bonne
Léger		Faible	Courte	Médiocre
Faible		Insuffisante	Insuffisante	Mauvaise

ÉVALUATION FINALE

Fin de bouche	Harmonie	État évolutif
Nette, astringente, chaude, équilibrée, minérale, sapide, veloutée, longue, évoluée, fraîche, douce, verte, courte, amère…	Harmonieux	Immature
	Assez harmonieux	Jeune
	Peu harmonieux	Prêt
		Mature
		Vieux

LE TOUCHER ET L'OUÏE

Ce sont les phases les plus courtes de la dégustation.
Le toucher de la bouteille révèle la température
de service du vin et peut influencer une appréciation
sans la déterminer.
L'ouïe. Le bruit du vin qui coule dans le verre indique
la densité du liquide, plus ou moins sucré ou fort en
alcool. Le sucre alourdit la densité du liquide comme
l'alcool, produisant un bruit plus suave, plus sourd,
tandis qu'un vin léger en alcool et sec aura une descente
plus brutale, rapide et sonore dans le verre.

L'ŒIL

....

La dégustation commence vraiment par l'examen visuel. La vue est le premier identifiant qui renseigne à la fois sur le style et l'âge du vin, analysés à travers la robe, les reflets, la limpidité, la matière colorante, la fluidité et éventuellement l'effervescence.

Lors des dégustations à l'aveugle, les premières secondes d'observation sont utiles pour définir la typologie du climat, le millésime, l'évolution du vin et le rendement de la vigne. C'est aussi à l'œil que l'on reconnaît les tonalités typiques d'un cépage plutôt qu'un autre. Une robe profonde, dense, riche, filant sur des nuances pourpres, sera plus proche d'un malbec d'Argentine que d'un sangiovese de Romagne. Inversement, une matière colorante légère, donnant une petite transparence aux reflets de rubis, désigne davantage un pinot noir de Bourgogne qu'une syrah d'Australie.

Pour commencer l'examen visuel, le dégustateur doit tenir son verre par le support du pied et le tendre devant une source lumineuse. Légèrement penché, le vin indiquera sa transparence et sa couleur. Éclairé de face, il laissera apparaître sa fluidité, sa limpidité, révélant quelques informations sur la nature du cépage et l'état de son évolution.

La robe.

Les vins blancs se déclinent du **jaune vert** au **jaune paille, jaune or, jaune ambré** et **jaune topaze.** Les vins très jeunes affichent des tonalités vertes. Ils se boivent de préférence l'été, dans leur fraîcheur et leur spontanéité. Ils ne sont pas vieillis en fûts, et sont composés de cépages aromatiques comme le sauvignon, le muscat, le sylvaner, ou le riesling. Selon l'intensité de l'ensoleillement, ou les séjours prolongés en fûts, ces mêmes blancs, en maturant, perdent leur tonalité verte pour présenter des nuances paille et

dorées. C'est un signe qui indique que le vin est prêt à être dégusté. En Bourgogne, un Puligny-Montrachet présente cette couleur à partir de sa cinquième année. Si la couleur est jaune ambré et topaze, on aura la certitude de déguster un vin d'un âge plus avancé. Il se peut aussi qu'il soit éteint et victime d'oxydation, phénomène imputable à l'influence néfaste de l'oxygène qui intervient après un

Ci-dessus : (1) Jaune paille ; (2) jaune or.

séjour trop prolongé en fût ou en bouteille. Une observation qui exclut naturellement les madères, xérès, marsalas, vins jaunes du Jura, et l'ensemble des produits à style oxydatif dont l'oxygénation lente et ménagée reflète la typicité de leur caractère.

Jaune vert (1), jaune paille (2), jaune or (3), jaune ambré (4), jaune topaze (5).

Les rosés offrent un camaïeu de **rose pâle** à **rose pétale de rose, rose saumon, rose cerise** et **rose claret**. Leur intensité colorante dépend surtout de l'assemblage. En général, les rosés légers ont une couleur qui oscille entre pâle et pétale de rose. Les vins de corps affichent des nuances saumon tandis que les vins plus riches et plus évolués se définissent par une tonalité cerise ou claret. D'une manière générale, les vins rosés ont une mauvaise réputation. Il en existe pourtant d'excellents et on les

trouve dans le monde entier. Attention, l'âge d'un vin rosé ne fait pas forcément sa qualité : une robe trop claire et des nuances légèrement orangées indiquent un vin trop âgé. Cette caractéristique se confirme par un nez aux notes animales et une bouche d'une faible acidité. À l'inverse, pour un champagne rosé d'une grande cuvée, caractérisé par des nuances pelure d'oignon, c'est un signe positif de vieillissement (sans oublier que la présence de gaz carbonique renforce la sensation en bouche de fraîcheur et préserve le vin d'une évolution rapide).

Sur cette page : rouge pourpre (1), rubis (2), grenat (3), tuilé (4), orangé (5).

Les vins rouges affichent des tonalités variant du **pourpre** à l'**orangé**, en passant par les phases **rubis, grenat** et **tuilé**. La robe pourpre évoque les vins extrêmement jeunes, le rubis et le grenat des vins prêts à boire et mûrs, les rouges tuilés et orangés des vins âgés. L'évolution temporelle est ici aussi soumise aux régions de production. Un vin de couleur tuilée pourra s'avérer exceptionnel pour un grand terroir de Toscane (Italie) comme pour une bouteille de la Ribera del Duero (Espagne) ; à l'opposé,

il indiquera un vin éteint dans le cas d'un pinot noir de l'Ahr (Allemagne).

Je me souviens encore de ma première dégustation dans le Piémont, chez un producteur de Barbera d'Alba, d'un vin en barrique qui ressemblait à de l'encre bleu-noir, profond, impressionnant, tachant. À l'époque, trop jeune moi aussi, je n'arrivais pas à déterminer si ce vin était bon ou pas. Il existe des vins jeunes « prêts » avant leur maturité. Gamay, syrah, pinot noir ou merlot en font partie. Si la tendance actuelle est de boire de plus en plus des vins jeunes très plaisants, il est cependant certain qu'ils seront meilleurs à maturité. Au contraire, les grands vins de vieillissement et de complicité ne souffrent d'aucun jeunisme et doivent attendre une dizaine d'années pour être consommables.

Les reflets.

Ils témoignent du stade d'évolution du vin selon une échelle chromatique comparable à celle de la couleur. Il est indispensable d'incliner son verre pour observer les reflets sur les bordures du disque que forme la surface du liquide.

REFLETS SELON L'ÂGE DES VINS

LES BLANCS :
Vins très jeunes : **argenté-vert**
Vins très vieux : **orangé, cuivré à marron**
Entre les deux : **de couleur paille à topaze**

LES ROSÉS :
Vins jeunes : **gris et violine**
Vins vieux : **pelure d'oignon, orangé**
Entre les deux : **de pâle à claret**

LES ROUGES :
Vins jeunes : **noir, bleu, violine**
Vins à maturité : **tuilé, orangé, marron**
Entres les deux : **de pourpre à brique**

La présence de reflets orangés s'interprète comme un signe favorable pour tous les vins de grande expression produits sur les meilleurs terroirs du monde : Sauternes, Barolo, Porto, grands crus de Bordeaux, de Bourgogne, de la Vallée du Rhône, Priorat, etc., mais c'est un mauvais signe pour ceux qui sont issus d'un terroir banal. Ils seront dépourvus de toute complexité, à l'exception des vins à oxydation, tels les xérès, les vins jaunes du Jura, les marsalas, les madères, etc.

A droite, la robe grenat au centre du verre et les reflets brique aux extrémités.

Les reflets d'un vin s'exaltent à la lumière du jour.

On décèle la phase de vie du vin en additionnant sa couleur et ses reflets, qui sont comme ces panneaux indicateurs faits pour nous aider à trouver le bon chemin… Mais la généralisation est trompeuse. Chaque vin possède son propre rythme de vieillissement. On ne peut soumettre à la même lecture toutes les régions viticoles et les multiples cépages. Une même appellation, rassemblant plusieurs producteurs, peut présenter dans le même millésime une maturité différente selon que le raisin a été cueilli à une semaine d'intervalle, que la nature du sol est distincte, que l'âge de la vigne diffère, le type d'exposition, ou le travail de l'homme en cave.

ROBE ET REFLETS DE QUELQUES CÉPAGES BLANCS

• *LE SAUVIGNON BLANC* s'adapte aux climats frais. Il aime l'influence océanique (Loire, Bordelais, Nouvelle-Zélande…) et il se boit très souvent jeune (un à deux ans), sans vieillissement en bois. Sa couleur tire sur le vert avec des reflets argentés. Un séjour en barrique lui permet d'arriver à maturité en trois ou quatre années. Il affiche alors une couleur paille avec des reflets verts s'il est produit dans une région fraîche. A contrario, il présente des reflets or lorsqu'une année de sécheresse a marqué sa naissance. Il est souvent utilisé dans les assemblages pour apporter sa fraîcheur à l'équilibre du vin, dans le Bordelais par exemple.

• *LE VIOGNIER* a besoin d'un climat ensoleillé sans excès de chaleur, conditions idéales qu'il trouve dans le nord de la Vallée du Rhône. Il possède naturellement une couleur paille avec des reflets verts lorsqu'il est jeune (un à deux ans) et évolue rapidement sur des teintes jaune d'or, signe favorable de dégustation (trois à cinq ans). Sa couleur change plus vite s'il est cultivé en plaine, sous un climat chaud.

• *LE CHARDONNAY*, qui règne en Bourgogne, présente dès sa première année une couleur verte avec des reflets argentés s'il n'est pas élevé en barrique. Un séjour plus ou moins prolongé en fût entraîne une tonalité paille avec des reflets verts. À maturité, il se caractérise par sa couleur or, comme dans le cas d'un Puligny-Montrachet âgé de cinq à huit ans. Produit sur un climat plus froid (Chablis), il a tendance à afficher des nuances plus vertes qu'en Californie, comme à Santa Barbara, où il est or dès sa jeunesse.

• *LE RIESLING* affiche ses caractéristiques à toutes les phases de son évolution. Petit, jaunâtre, ce raisin est pour moi l'un des plus grands du monde. Noble, distingué, c'est un cépage qui arbore, sans utilisation de fût, une couleur verte aux reflets argentés dès sa jeunesse. Les vendanges tardives ou les sélections de grains nobles produisent des nuances ambrées et topaze. Ce cépage vieillit lentement, il a besoin de temps pour qu'évoluent ses teintes chromatiques. Comme le chardonnay, il ne supporte pas la banalité d'un sol quelconque. Seul un grand terroir peut lui donner minéralité et longévité.

• Les pays ensoleillés laissent le mieux s'épanouir le corps, la rondeur, et le bouquet méditerranéen de *LA ROUSSANNE*. Ce cépage possède dès sa jeunesse une couleur dorée qui évolue rapidement vers le vieil or, indiquant une sensibilité à l'oxydation. Attention aux surprises : la roussanne peut mûrir très vite ou, à l'inverse, s'enorgueillir d'une vie très longue, laquelle s'interrompt brusquement comme celle d'un homme victime d'une crise cardiaque.

▸En dehors de la Suisse, *LE CHASSELAS* est considéré comme un raisin de table. Ce cépage trouve cependant sa place sur le marché international grâce à de grands vignobles situés surtout dans la partie romande. Faute de corps, il se conserve peu, se présentant au dégustateur à peine coloré, c'est-à-dire vert argenté. Il évolue rapidement sur des notes dorées et cristallines. Ce cépage peut offrir de grandes surprises. J'ai dégusté chez un viticulteur du Dézaley des millésimes 1976 et 1977. La matière colorante avait évolué très lentement. En dépit de son grand âge, ce vin n'était absolument pas oxydé, contredisant d'une manière flagrante l'opinion communément admise. Eh oui, même un raisin simple, à condition qu'il soit issu d'un grand terroir, peut vieillir ! C'est encore un mystère du vin.

ROBE ET REFLETS DE QUELQUES CÉPAGES ROUGES

▸*LE PINOT NOIR,* cépage à la matière colorante faible, possède une légère transparence. De tonalité rubis avec des reflets pourpres dans sa jeunesse, il s'enrichit de reflets brique à maturité. Sa couleur peut évoluer pour les grands crus et les premiers crus jusqu'à atteindre une tonalité grenat avec des reflets tuilés après dix années de vieillissement. À l'origine des célèbres vins rouges de la Côte-d'Or, c'est l'un des cépages les plus délicats qui soient, ne dévoilant ses qualités que sur un terroir noble, avec des rendements bas et une vinification soignée. Dans le cas contraire, il risque de donner un vin banal, peu coloré, et de grande acidité.

▸*LE CABERNET SAUVIGNON,* très à la mode aujourd'hui, est planté dans toutes les régions du monde. Cépage phare du Bordelais, et en particulier des crus classés du Médoc, de couleur pourpre avec des reflets violines dans sa jeunesse, il prend une couleur rubis avec des reflets grenat à maturité. Chez les grands crus, lors des années exceptionnelles, il évolue sur un rouge tuilé avec des reflets orangés, exprimant ainsi une grande complexité. En France, contrairement aux autres pays, il est souvent assemblé avec du merlot, du cabernet franc et du petit verdot. À la différence de son compagnon d'assemblage, le merlot, variété résistante à maturation tardive, il s'épanouit particulièrement lors des mois de septembre et octobre ensoleillés dans l'hémisphère nord, et de mars dans l'hémisphère sud.

▸*La SYRAH,* comme le cabernet, connaît actuellement une période de gloire dans le monde entier. Emblématique d'un pays comme l'Australie, ce cépage est aujourd'hui présent au Chili, en Italie, en Espagne… Roi de la Vallée du Rhône septentrionale où il donne naissance à des appellations prestigieuses comme le Cornas, l'Hermitage et la Côte-Rôtie, sa matière colorante est très profonde et peu transparente avec des reflets noirs, bleus en début de vie. L'évolution chromatique est très lente, passant du violacé pourpre au grenat à l'instant de sa maturité. Cépage de longue vie, il peut présenter après quinze ans des notes légèrement tuilées. Mais il se consomme aussi dans sa jeunesse, offrant au dégustateur un rouge pourpre. Il adore les arrière-saisons ensoleillées qui préservent l'acidité naturelle de ses raisins et leur maturité phénolique. Ses fruits, cueillis lorsque pépins et peaux sont parfaitement mûrs, offrent alors un bouquet riche en arômes, un corps de grande qualité et des tanins dénués d'amertume.

᧧*LE GRENACHE,* cépage rouge le plus cultivé au monde, et particulièrement en Espagne, exprime une force et une élégance que l'on retrouve avec une certaine classe chez les Châteauneuf-du-Pape. De tonalité profonde dans le Priorat, plus claire dans le Gigondas, son évolution chromatique s'accélère dès ses premières années de vie. Très sensible à l'oxydation, il présente assez vite des couleurs rubis flirtant avec le grenat et des reflets brique.

᧧*LE GAMAY,* emblématique du Beaujolais, mais aussi cultivé avec succès dans les régions climatiques fraîches telles la Loire et la Suisse, affiche une tonalité violine profonde et pourpre. L'échelle chromatique évolue rapidement vers le rubis grenat. En général, il est apprécié jeune (un à quatre ans). C'est un cépage à maturité précoce qui prospère avec des résultats peu éclatants dans les régions chaudes (Californie, Bassin méditerranéen, Australie…).

᧧*LE NEBBIOLO,* variété de raisin rouge parmi les plus nobles d'Italie, se caractérise par un bouquet complexe et une capacité exemplaire au vieillissement. Sa couleur est facilement identifiable à sa densité faible. Pour arrondir ses tanins, le besoin de vieillissement en fût se situe entre deux et quatre ans. Des nuances grenat apparaissent alors et persistent avant de se transformer en notes tuilées. J'ai encore en mémoire une de mes erreurs de débutant lorsque j'identifiai à l'aveugle un Barolo que je datai de l'année 1985, oubliant ce caractéristique vieillissement rapide de la couleur lors de son séjour en bois. Moi, l'Italien, je m'étais trompé de plusieurs années !

Une terre noble caractérise un grand terroir. Les raisins qui y sont cultivés donnent des vins de longue vie et de grande complexité. Le choix du cépage par rapport aux qualités du sol est essentiel pour la réussite.

Une terre riche définit un sol très fertile, des terres grasses et humides, riches en minéraux, très adaptées à la culture fruitière. En général, cette terre donne des vins spontanés, d'un bon gras et d'une bonne profondeur.

Une terre banale peut héberger de la vigne, mais aussi du maïs ou des pommes de terre. Ce sol ne donne aucune personnalité au vin, même si on y trouve différents cépages. Seule l'intervention de l'homme apportera un style au vin, selon les types de bois (fût) et les techniques de vinification.

Une terre pauvre est composée de sable avec peu d'oligo-éléments et de minéraux. Elle donne des raisins riches en sucre, des vins forts en alcool, pauvres en acidité, qui vieillissent mal.

La limpidité.

La limpidité permet d'apprécier l'âge et la pureté du vin. Jeune, il est particulièrement brillant, alors qu'à très grande maturité, il se présente plutôt opaque.

Si un vin jeune est voilé, avec des particules en suspension, ou encore avec un dépôt de tartrate blanc au fond du verre, cela signifie que le processus de vinification a échoué. L'extrême brillance est réservée au vin blanc, jeune et d'excellente qualité. Un vin rouge, par ses couleurs intenses et ses tanins, n'atteint jamais une telle appréciation.

On peut juger de la limpidité en portant le verre de vin à portée d'une source lumineuse, naturelle de préférence.

On considère comme **brillants** les vins blancs et rosés qui reflètent la lumière. C'est un signe de jeunesse qui indique la réalisation parfaite de filtrages, utiles pour obtenir une couleur pure.

À un degré de luminosité un peu moindre, le vin est jugé **cristallin**. C'est encore une valeur très positive sur l'échelle de la limpidité. D'ailleurs, un vin brillant, après quelques années de vieillissement, s'affirme pur et cristallin, comme on le dirait d'une eau de source.

Pour un rouge, plus coloré et riche en tanins qu'un blanc ou un rosé, le degré d'excellence ne peut atteidre le brillant ou le cristallin – à l'exception des vins issus d'une macération carbonique, c'est-à-dire sans intervention de levure et sans que le raisin ait été pressé, dans une atmosphère anaérobique (où l'on élimine l'oxygène à l'aide du gaz carbonique), comme dans le cas du Beaujolais nouveau.

Un vin brillant exprime la luminosité.

Jugé simplement **limpide**, un vin rouge se présente à son meilleur niveau. Pour un blanc jeune, cet adjectif est un indice préoccupant, surtout s'il affiche une couleur paille, ou verte, qui indique principalement un problème de filtrage.

Un blanc vieilli, lui, de tonalité or ou ambrée, est jugé limpide ou **peu limpide** sans que sa qualité soit remise en question ; ce terme s'applique également aux vins rouges vieillis dont les tanins se décomposent à maturation et le voilent. Voilà pourquoi on décante une bouteille d'origine dans une carafe pour séparer le vin de son dépôt.

Au stade dit **trouble**, enfin, terme assurément négatif, le vin voilé est victime d'une erreur de vinification. À moins qu'il ne se trouve en fin de vie.

La limpidité est liée aux techniques de travail en cave et à l'âge du vin. Pour les rouges, durant la première année d'élevage, la vinification passe par l'étape du soutirage, c'est-à-dire que la lie et autres particules en suspension, tombées au fond de la barrique, sont séparées par une opération de transvasement dans une autre barrique propre et stérile. L'étape suivante, clarification ou collage (introduction d'agents organiques comme le blanc d'œuf ou la gélatine qui attirent les infimes particules encore présentes), assure, elle aussi, un vin parfaitement clair.

Je note une certaine tendance chez les viticulteurs à embouteiller le vin à son état le plus naturel, sans aucun filtrage, pour conserver au mieux sa structure et son expression aromatique. Même si, en le soutirant le moins possible, le vin

Technique de soutirage du vin en cave.

gagne en concentration et en richesse, il faut cependant porter une grande attention à cette recherche d'authenticité. Je ne peux la saluer qu'à la condition de ne relever aucun défaut en nez et en bouche. Dans le cas contraire, le viticulteur n'aura tout simplement pas accompli son travail dans les règles de l'art.

Matière colorante.

Grâce à la matière colorante, plus ou moins concentrée, on peut juger de la transparence d'un vin : riche, elle l'entamera, faible, elle la valorisera.

Pour apprécier facilement la transparence d'un vin, il suffit de prendre une page et d'incliner votre verre au-dessus. Si vous parvenez à lire le texte à travers le vin, la transparence est forte, et la matière colorante faible.

La transparence est toujours jugée bonne pour les blancs, y compris pour les vins de paille, les moelleux et les liquoreux très colorés (topaze orangé), car ce sont généralement des vins brillants. Du côté des rouges, l'estimation est bien différente. Même les vins très peu colorés seront moins transparents que leurs cousins blancs et rosés, alors

La matière colorante indique la transparence du vin.

que plus un vin rouge est jeune, plus sa matière colorante est riche. Et, à l'inverse, plus il a vieilli, plus il s'éclaircira. C'est le contraire des blancs.

Nous avons vu précédemment combien les cépages se distinguent les uns des autres par une tonalité chromatique différente. Leur matière colorante et leur transparence indiquent-elles également cette typicité ? L'expérience, hélas, prouve le contraire. Le dégustateur peut se trouver confronté à des gamays riches et profonds en couleur, comparables aux syrahs. À moins qu'il ne s'agisse de cette même syrah habillée d'une matière colorante bien faible… Comment expliquer ce phénomène ? Eh bien, tout simplement, par le dilettantisme – restons polis – du vigneron.

De couleur syrah, notre gamay est produit avec une grande concentration de raisin et une extraction très importante de matière colorante au moment de la fermentation. C'est à coup sûr un vin très lourd, « body-buildé », qui manque d'élégance, en tout cas avec une typicité bien oublieuse de son terroir, surtout s'il a séjourné en fûts de bois neuf. Notre syrah faible en matière colorante est normalement victime d'un rendement de la vigne très élevé, avec pour conséquence un vin dilué, faible en structure, d'une acidité relevée et d'une mauvaise maturité phénolique.

Il y a quelques années, je me suis trouvé en Suisse, dans le canton genevois, à déguster des vins dont la matière colorante était rigoureusement la même pour les gamays, les pinots noirs ou les syrahs. Les arômes étaient également très comparables. La typicité avait disparu (plus aucune finesse dans le pinot noir et nul goût d'épices dans la syrah) : j'en ai conclu que le récoltant pratiquait des assemblages avec des cépages dits « colorants » dont le rôle est d'enrichir les teintes et d'aplatir les typicités.

Méfiance, donc, lorsque tout se ressemble ! Chacun doit préserver son identité.

Le monde du vin ne doit pas être un long monologue. Cela étant posé, voici les trois critères de jugement qui déterminent la matière colorante d'un vin :

On la qualifie de **riche** lorsque la couleur, concentrée, ne laisse percer aucune transparence. Sont concernés l'ensemble des rouges de robe pourpre issus de syrah, cabernet sauvignon, merlot, malbec, mondeuse, petit verdot, cabernet franc, tempranillo, zinfandel, carménère, refosco, etc. Ce verdict s'applique également aux blancs issus de vendanges tardives, sélection de grains nobles, vins de type porto ayant subi un mutage à l'alcool (action qui consiste à interrompre naturellement la fermentation), ceux à tendance oxydative (de type xérès), ou moelleux en général à la couleur ambre et aux reflets topaze-marron.

La matière colorante jugée **moyenne** se retrouve dans les vins rouges à la tonalité rubis, grenat, ou brique, laissant s'épanouir une petite transparence comme le pinot noir, le sangiovese, le grenache, le gamay, le nebbiolo… Du côté des blancs, cette caractéristique est perceptible sur les robes de couleur paille, or, issues de chardonnay, chenin blanc, viognier, roussanne…

Dilués, peu colorés, issus de cépages comme les sauvignon, sylvaner, muscat, riesling, ces blancs sont estimés **faibles** en matière colorante surtout s'ils sont secs et non élevés en fûts. Pour les rouges, ce critère n'est pas un signe de qualité, à l'exception des vins accomplis.

La fluidité.

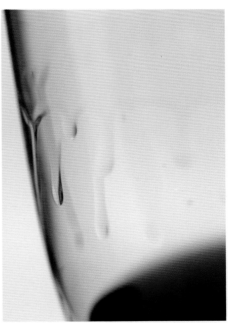

La fluidité permet d'apprécier le degré d'alcool et/ou de sucres résiduels. Il suffit d'incliner le verre, d'accomplir un demi-tour et d'observer ce que l'on nomme les « larmes du vin » qui coulent le long des parois. L'étude de la vitesse avec laquelle ces marques griffent le verre aura valeur de test. Des larmes abondantes, qui descendent lentement, indiquent un vin fortement alcoolisé. Voyez l'eau minérale, fluide, qui décampera à vive allure, tandis qu'un cognac s'attardera, indolent comme un lézard sur une pierre chaude.

Les larmes indiquent la richesse de la consistance du vin.

La chaptalisation, cet ajout de sucre au moût – jamais au vin – pratiqué dans certaines zones viticoles, en particulier lors des années froides (donc faibles en degré d'alcool), peut tromper le dégustateur. Il se trouve devant un vin riche en acidité mais avec un degré d'alcool consistant. Alcool d'un côté, acidité de l'autre, le résultat est une drôle de sensation en bouche : du vide. Je suis amateur de vérité en vins comme en toute chose. Corriger, c'est dénaturer la nature d'un cépage. On boit trop souvent de ces breuvages de forte intensité, mais sans prolongation en bouche. S'il s'agit d'une pratique de correction admise pour un millésime éprouvé par de mauvaises conditions climatiques, c'est explicable. Mais si le producteur l'utilise en

Rotation dans le verre du vin… dont les larmes
permettront d'apprécier la consistance.

pratique courante pour compenser un manque de maturité du raisin, dû à un rendement excessif, ou pour vendanger d'une manière précoce à la machine, sans amour ni respect de sa vigne, c'est tout à fait condamnable. Cette attitude trompe le dégustateur lors de l'examen visuel : la consistance peut sembler dense.

Cinq paramètres établissent le degré de la fluidité d'un vin. Liqueurs et spiritueux sont jugés **visqueux**. C'est très facile à observer : les larmes cheminent à un train de sénateur le long des parois du verre.

Les mistelles d'apéritifs de type vermouth, les vins mutés de type porto et ceux issus de vendanges tardives, caractérisés par une riche capillarité, de nombreuses larmes, des jambes fines et rapprochées, ont une fluidité **très dense**.

Produits sur des terroirs baignés de soleil, les vins secs à la structure prononcée en alcool, tels les vins de Méditerranée ou du Nouveau Monde, sont considérés comme **denses**.

À l'opposé, sont **peu fluides** les vins qui descendent avec une certaine facilité le long du verre. Ils sont en général issus d'une région influencée par un climat océanique comme la Loire, la Galice, la Nouvelle-Zélande ou le Japon.

Qualifiés de **fluides**, les vins très légers en alcool et pauvres en sucres résiduels, issus de zones particulièrement froides comme l'État de New York, l'Allemagne, le Canada, la Patagonie (eh oui !) ou la Tasmanie, ont la rapidité des luges pour glisser le long des parois et se fondre dans la profondeur bienfaitrice du vin.

L'effervescence.

L'effervescence ne concerne que les champagnes et les mousseux, des vins qui ont subi une seconde fermentation – en bouteille selon la **Méthode champenoise**[1], ou en autoclave fermé selon la **Méthode Charmat**[2]. Outre la complexité olfactive et la bouche, que nous étudierons plus loin, un effervescent de qualité se juge par le nombre, la persistance et la taille de ses bulles qui indiquent à elles seules la méthode de travail de la maison productrice.

Petite mise en garde : un champagne ne doit pas se servir glacé. Vin « tranquille » à son origine, produit avec des raisins de grand terroir, le servir frappé augmente son acidité naturelle, due à un sol de forte minéralité et des conditions climatiques fraîches. À cela, ajoutons que le gaz carbonique qui fait son charme est déjà rafraîchissant en lui-même et exalte des parfums sur lesquels il est bon de poser son nez.

Pour les cuvées les plus prestigieuses, déjà vieillies, je conseille une température de service à 10 °C et, pourquoi pas, une décantation pour quelques vieilles réserves.

L'effervescence se définit bien sûr par ses bulles et leur qualité. Il s'agit en premier lieu d'établir leur **finesse**. C'est un terme utilisé pour définir leur élégance, leur insistance à se serrer les unes par-dessus les autres. Songez à ces retransmissions de gymnastique aquatique lors des jeux Olympiques et vous comprendrez. Pas besoin de métaphore, au contraire, pour définir une finesse grossière. La prise de mousse a lieu rapidement.

Effervescence d'une goutte de champagne sur un papier blanc.

Persistante, **très persistante**, **peu persistante**, ainsi est qualifiée la durée de vie des bulles. C'est assez facile, l'expérience enseigne le temps minimum pour estimer un évanouissement tolérable ou non.

L'observation doit se doubler de l'appréciation de la **quantité** de bulles. Nombreuses, elles indiquent un produit de grande qualité. Faibles, s'évanouissant rapidement dans le verre, elles signent une bouteille médiocre. Si s'ajoute une finesse grossière, alors attention aux estomacs fragiles : nous sommes devant un produit de qualité moyenne, ou pire…

Le terroir et le climat unique du champagne assurent au dégustateur la possibilité de trouver réunis ces trois paramètres. Mais nombre de vins effervescents d'Italie, d'Espagne, de Californie ou d'Australie s'avèrent très compétitifs dans la catégorie des bruts. Des cépages de bonne acidité sur des terroirs minéraux donnent de beaux vins.

Mon expérience de sommelier me conduit à remarquer que 80 % des clients réclament un champagne pour l'apéritif. Je propose toujours trois verres au choix : un blanc de blancs, une cuvée prestige et un rosé, modifiant ma carte régulièrement. Je recommande plutôt pour l'apéritif un blanc de blancs issu d'un grand cru. Il est idéal pour sa fraîcheur, son élégance et sa précision. J'invite à déguster les rosés, très prisés par les femmes, plutôt sur des plats, une côte de veau ou une poularde, par exemple.

L'examen visuel, avec ses six critères, est maintenant achevé. Place au nez.

1. **Méthode champenoise :** elle est appelée aussi méthode classique ou traditionnelle. Utilisée pour la production des champagnes, elle consiste à faire redémarrer une seconde fermentation en bouteille à l'aide des levures sélectionnées. Cela permet d'obtenir la prise de mousse, c'est-à-dire l'effervescence pour les vins d'origine tranquille. En 1994, la mention « méthode champenoise » a été interdite par les autorités de l'Union européenne afin de protéger l'appellation Champagne, qui est la seule à avoir le droit d'utiliser cette mention.

2. **Méthode Charmat :** méthode utilisée pour obtenir les vins effervescents par une deuxième fermentation en cuve fermée, à la différence de la précédente qui se produit en bouteille. Le premier à avoir eu l'idée de ces cuvées fermées fut Federico Martinotti dans la région d'Asti en 1895. Le système fut repris par Eugène Charmat en 1907. Ce dernier arrivera à développer cette technique à un niveau industriel. Méthode beaucoup plus courte permettant d'obtenir des effervescents plus rapidement, elle donne des produits de qualité plus simple par rapport à ceux que fournit la méthode traditionnelle.

LE NEZ

Nous possédons tous une mémoire olfactive qui nous prouve que l'odeur n'est pas une masse confuse mais une succession de nuances, qu'il faut isoler et nommer. Pourtant, l'olfaction est un instrument naturel peu utilisé. Essayez, en fermant les yeux, de penser au parfum du poivre noir, de la rose ou du pamplemousse. Par ailleurs, réussissez-vous instantanément à reconnaître un arôme et à le définir ? Si oui, vous faites partie de ce pourcentage restreint de personnes qui possèdent déjà une bonne sensibilité olfactive, un petit talent, que rien n'empêche de cultiver… Pour développer l'odorat, il suffit de porter attention aux parfums qui nous entourent et que la nature offre tels quels, quotidiennement. Et surtout, stocker ces odeurs, les placer dans sa mémoire. Le cerveau humain est capable de véritables prouesses…

L'**examen olfactif** est l'un des moments clés de la dégustation. Il permet de définir les caractéristiques principales du cépage, de retrouver un terroir, la situation climatique, de déterminer le stade d'évolution d'un vin, ou d'isoler un millésime en particulier. C'est aussi un agréable voyage à la découverte de parfums rares et innombrables, qui génère chaque fois des sensations différentes.

Le sommelier professionnel n'invente aucun parfum. Il se contente de décrire précisément les émanations du vin qui l'aideront par la suite à déterminer la typologie correspondante du cépage, la zone de production, etc. La première fois que l'on réussit à distinguer, puis à définir, un arôme, c'est une émotion unique qui vous saisit, un sentiment indescriptible de joie, et en même temps de surprise, comme découvrir un nouveau jeu captivant, aux combinaisons infinies.

J'effectue quotidiennement cet exercice, depuis de nombreuses années. Jamais je ne me suis ennuyé. Mieux : j'avance avec la conviction que le « jeu » se diversifie et se complique à mesure que je progresse. Les parfums recèlent un nombre incroyable d'informations pour qui s'amuse à reconnaître un vin à l'aveugle.

Si le dégustateur procède à une exécution correcte et précise des examens visuels et olfactifs, il possède dans ses bagages 70 % des données d'un vin. L'examen gustatif aura pour rôle essentiel de confirmer les déductions obtenues en amont, car dans l'art de la dégustation, on n'arrivera jamais à la perfection. Revêtir le costume de magicien et sortir d'une boîte magique la réponse exacte est une illusion. Même les dégustateurs les plus avertis ne peuvent affirmer que leurs déductions sont incontestables.

LE NEZ DE QUELQUES CÉPAGES BLANCS

◦ *LE SAUVIGNON BLANC* rappelle le fruit frais, le basilic, le thym, le poivron vert, le pin, la feuille de tomate, la menthe... Lorsqu'il n'est pas passé en barrique, il s'ouvre d'une manière très intense et directe. Son séjour en fût le rend plus pommadé, plus épicé, avec des notes d'infusion.

◦ *LE VIOGNIER* possède naturellement une caractéristique exubérante avec des parfums de violette et de banane. Il reste très intense, légèrement exotique, avec des notes d'abricot. Il s'ouvre dès sa jeunesse et son bouquet se présente avec plus de force que de persistance.

⏵ *LE CHARDONNAY*, s'il n'est pas élevé en bois, affirme une minéralité qui rappelle les fruits à chair blanche comme la poire. Après un séjour en barrique, le bouquet change. Il prend des notes de pêche, de beurre, de toasté, de brioche, de noisette et, dans son évolution, il rappelle des parfums d'acacia et de confiture d'abricots. Il n'est pas très expressif dans sa jeunesse et demande du temps pour exprimer son potentiel.

⏵ *LE RIESLING* exprime ses caractéristiques sur les grands terroirs en prenant un profil très tranchant, très linéaire. Timide à l'ouverture, il faut le décanter dans ses premières années. Ses arômes principaux sont les agrumes, le pamplemousse, le citron vert, des notes de pétrole. En évoluant, il révèle des senteurs de truffe blanche, de lychee, de clémentine et de fruit de la passion.

⏵ *LA ROUSSANNE* dévoile une expression très exubérante qui rappelle des notes de garrigue, de laurier, de romarin et de fruits confits.

⏵ *LE CHASSELAS* est un cépage neutre, très peu aromatique. Subtil, il évoque la poire, la pomme, un léger poivre blanc, des herbes aromatiques et coupées.

LE NEZ DE QUELQUES CÉPAGES ROUGES

⏵ *LE PINOT NOIR* est riche de parfums de cerises, de framboises, et de poivre noir dans sa jeunesse. En maturant, il exhale des notes de champignons, de sous-bois, de confiture.

⏵ Chez le *CABERNET SAUVIGNON* ce sont des parfums de fruits rouges, d'épices comme la vanille et la réglisse, de poivron confit et de paprika qui dominent. Avec l'âge, son bouquet très ouvert révèle des notes de truffe noire.

⏵ *LA SYRAH*, cépage très pointu et très pénétrant, exprime l'olive noire, le poivre noir et les mûres sauvages. Dans les productions du Nouveau Monde s'ajoutent des notes d'eucalyptus.

⏵ *LE GRENACHE*, dont il faut se méfier car il présente une tendance rapide à l'évolution, exhale, très jeune, des notes complexes de confiture, pruneau, laurier, parfums de garrigue, mais aussi à maturité des notes très subtiles d'épices et d'herbes séchées.

> *Le gamay*, cépage de légèreté, a un caractère de fruits rouges très intense, fraises, cassis et framboises, il peut aussi rappeler le moût en fermentation.

> *Le nebbiolo*, enfin, cépage viril, identitaire, d'une grande force et de caractère, a besoin de vieillissement pour affirmer des notes de truffe blanche, d'épices, de cuir, de champignons, de cerises à l'eau-de-vie, de terre mouillée et de cave humide…

Dans le détail, l'analyse olfactive se divise en deux parties : le premier et le deuxième nez. Au premier nez, en laissant le vin immobile, on obtient les arômes les plus prégnants. Au second, en agitant le verre par un tour de poignet, on fait exhaler les arômes cachés. La phase du premier nez révèle l'évolution du bouquet, son intensité, sa persistance, la maturité du fruit, l'utilisation du bois, et un critère général de qualité. La phase du second nez définit les familles des arômes et chacun de ses parfums.

LE PREMIER NEZ

L'évolution du bouquet.

Selon la nature du cépage et son stade d'évolution, le vin dévoile un bouquet primaire, secondaire ou tertiaire qui caractérise une phase de jeunesse, de maturité ou de vieillissement.

LA JEUNESSE

Lorsque le nez identifie des parfums aromatiques tels que le raisin frais, la menthe, le basilic, le thym, la clémentine, le citron vert, le kiwi, la citronnelle ou la pomme verte, on estime généralement que le **bouquet** est à son **stade primaire**. Il y a de la jeunesse en lui, avec une intensité de corps comme un bloc ramassé, due à une concentration d'arômes.

LA MATURITÉ

Le **bouquet secondaire** regroupe tous les parfums qui traduisent la transformation d'un vin cheminant entre jeunesse et maturité. Parfums de fruits frais comme la pêche, l'abricot, l'ananas, la fraise, la framboise, des pointes florales, du poivre, de la coriandre, des levures de pain, des

notes de beurre, des champignons, ou du miel d'acacia. Il s'agit ici de la majorité des vins que le public déguste, entre deux et huit années de vie, issus de cépages non aromatiques comme le chardonnay, le chenin blanc, le tokay pinot gris pour les blancs et quasiment tous les principaux cépages rouges du même âge.

LE VIEILLISSEMENT

Les parfums d'évolution comme les épices, la cannelle, le clou de girofle, mais aussi les confitures, le café, le chocolat, les fruits secs et confits, les notes animales, le sous-bois, le

cuir, la truffe ou le cèpe séché traduisent le vieillissement. Nous sommes dans la phase d'apogée d'un vin : rond, gras en bouche et accompli. Mais ce **bouquet tertiaire** est-il toujours un signe d'excellence ? La réponse est non. Les vins sont comme les hommes, ils évoluent différemment, selon leur propre temps intime. Le Beaujolais nouveau et le muscat sec, par exemple, atteignent une maturité personnelle parfaite alors qu'ils présentent les arômes d'un bouquet primaire. Chez eux, l'apparition de notes d'un bouquet tertiaire accompagnées d'une couleur orangée signifie que leur structure s'est déséquilibrée.

Parallèlement, c'est un vrai péché que de déguster un riesling grand cru alsacien, un Barolo ou un grand cru de Bordeaux en phase de bouquet primaire ou secondaire. La palette aromatique est encore timide, fermée et, immanquablement, le vin en bouche se présente durci par l'acidité et les tanins. Seule la phase tertiaire du bouquet révèle l'intensité, la persistance, la complexité aromatique et le parfait équilibre qui se déroberaient autrement.

En vérité, tous les grands terroirs du monde sont à déguster dans une phase de bouquet tertiaire.

Prenons un Pomerol 1982. Il faut imaginer un éventail très ouvert avec un nombre important de notes diverses qui s'imposent : effluves de confiture de pruneaux et de cerises variant sur de la truffe noire, du tabac, de la cendre de bois et de la terre mouillée. Le bouquet d'une Côte-Rôtie 1990 évoque, lui, des notes animales, de la confiture de mûres sauvages, encore de la terre mouillée, mais également le poivre noir et le cacao. Un Chambertin 1985, délicat, plus subtil, offre un jeu d'arômes de cerises à l'eau-de-vie, de cèpes séchés, de gelée de framboise, de poivre moulu et de senteurs de cave humide. Mais toujours au troisième niveau.

L'intensité.

Imaginons un ascenseur. Celui de la tour Eiffel par exemple. Observons-le dans sa course verticale et envisageons qu'au lieu de libérer des touristes confinés, il expulse brusquement, à son arrivée, une foultitude d'arômes... Remplacez l'ascenseur par un verre de vin (nous sommes bien dans un manuel de dégustation et non dans un traité de travaux publics) pour avoir une idée de son **intensité olfactive : c'est-à-dire la somme des arômes perçus dans toute sa simplicité d'expression au premier contact avec le nez.**

L'intensité d'un vin est estimée **forte** si les portes grandes ouvertes de notre ascenseur libèrent un flux intense de parfum. À l'inverse, si aucune note ne vient flatter les narines, ce vin fermé est crédité d'une intensité olfactive **insuffisante**. Des valeurs médianes telles que **bonnes, discrètes, faibles** permettent d'affiner le jugement, étant entendu que l'intensité de qualité acceptable correspond à la valeur « discrète ».

Pour autant, la faible intensité d'un bouquet signe-t-elle un mauvais vin ? Pas toujours. Certains vins extrêmement timides et réservés expriment peu de parfum dans leur jeunesse. Un bon dégustateur, en particulier si la mise en bouteille est récente, doit pressentir l'existence de caractéristiques propres aux cuvées de long vieillissement. Ces vins proviennent de grands terroirs et leur étiquette renseigne (normalement !) sur leur qualité. Une couleur verte avec des reflets argentés pour les blancs et une couleur violine avec des reflets noirs pour les rouges nous le confirment. Mais le dégustateur doit rencontrer une certaine dureté en bouche, et une forte acidité accompagnée de tanin. Ce vin, trop jeune, a besoin de temps. Son bouquet de faible intensité ne doit pas nous tromper. Il est comme un bel éventail fermé.

La dégustation est une somme de liaisons et de logique. Chaque année, je déguste chez les producteurs des vins en cours d'élevage en barrique afin de les présenter sur ma carte deux à cinq années plus tard. Le paramètre d'intensité est ici très important. Avec un nez encore marqué par le bois, des effluves de jus de raisin et de levures, suivi d'une

bouche arrogante avec des tanins gras et élégants, je ne me trompe pas en identifiant un vin fermé qui va s'améliorer avec le temps.

Attention, cette assurance ne doit pas tromper sur l'existence de vins peu parfumés qui jamais ne modifieront leur armature. Dilué et peu structuré, le breuvage aura été victime d'un rendement trop élevé du vignoble.

Tout aussi irrécupérables sont les vins éteints et maigres qui ne transmettent aucune intensité à l'odorat tout simplement parce qu'ils sont devenus trop vieux.

La persistance.

La persistance olfactive exprime la durée de perception des arômes une fois le verre reposé sur la table : **longue, bonne, discrète, courte** ou **insuffisante**.

La persistance est liée à la complexité du bouquet. Plus il est varié et riche en parfums dans le palais, plus la persistance sera longue, pouvant aller jusqu'à l'excellence, développant par paliers sa nature complexe. Jusqu'à la valeur « discrète », le jugement de la persistance est positif.

Imaginez une succession d'arômes très riches, dont on se souviendra longtemps après… On a écrit des livres et des chansons sur cette persistance sensuelle et érotique de la mémoire qui se prolonge dans le temps. On associera ce vin à un moment, à un endroit, à une personne… Rares sont les instants où le dégustateur atteint une telle félicité. Cela m'est arrivé deux fois. La première avec un gewürztraminer 1985, vendange tardive, dégusté pendant mon apprentissage à l'école hôtelière. Je me souviens encore d'une sensation d'exotisme, comme si un pays de cocotiers s'ouvrait devant moi, avec une succession de notes de papaye, de mangue, d'ananas rôti, de lychee et de gingembre. J'étais cuisinier à l'époque et découvrais ce vin à l'aveugle. J'ai associé ces parfums aux personnes qui m'accompagnaient et à un choix fondamental de vie puisque je décidai, ce jour-là, de devenir sommelier. Mon deuxième souvenir de persistance est lié à une soirée au restaurant avec une jeune femme dont je venais de tomber amoureux. C'était en Bretagne, à Cancale, chez le grand chef Roellinger. J'avais choisi sur la carte un blanc à l'image de ma compagne, un riesling, cépage élégant, profond, honnête et complexe. Je me souviens d'arômes de fleurs d'acacia mêlés à cette forte identité de pierre mouillée, et puis encore des agrumes comme la clémentine, le pamplemousse rose, le zeste d'orange. Cette persistance ne m'a jamais quitté. Quant à la jeune femme…

La maturité du fruit.

La maturité du fruit révèle sa qualité à l'instant des vendanges. Si, dans un vin rouge, le dégustateur repère des essences légèrement florales, ou encore des épices et des fruits rouges en quantité franche, il est à coup sûr en présence d'un vin vendangé à la plénitude du raisin. En revanche, une note végétale trop accentuée ou de moisissure est un mauvais présage.

Quatre paramètres définissent le vin d'après la maturité du raisin : trop mûr, mature, vert et moisi.
La maturité du fruit est liée à son environnement climatique, variable d'une année sur l'autre.
Année chaude : le parfum de « **sur-maturité** » envahit le nez avec des arômes cuits de figue et de raisin séché. Cette odeur en quantité excessive signe une forte présence en alcool, et la quasi-certitude d'un déséquilibre en bouche. Les années extrêmement chaudes, avec des vendanges précoces, sont redoutables de ce point de vue. Un vin de vendange tardive, caractérisé par la récolte de raisins à sur-maturité, dégagera des arômes de confitures exotiques, déroulant une grande douceur en bouche.
Bonne saison : au stade **mature**, sans aucune caractéristique végétale ou de moisissure, un fruit est dans sa perfection. Les baies de raisin ont atteint un degré optimal au moment des vendanges avant d'être vinifiées dans des caves saines. Le bouquet, au nez, est riche de parfums de fruits frais, d'épices, de fleurs, d'herbes aromatiques et, selon l'évolution, des arômes de sous-bois, d'épices, de fruits rouges et de notes animales.
Été pluvieux : les vins produits lors des étés pluvieux risquent fort d'offrir un degré de maturité **vert**. On perçoit ici des notes végétales comme le poivron vert, l'herbe à peine taillée ou l'épinard. Ces arômes en excès livrent un vin en bouche qui se définit par une forte acidité, des tanins anguleux, amers et astringents. Si des arômes de fruits, de fleurs et d'épices ne viennent pas le sauver, il se présentera déséquilibré et donc désagréable.

Été pourri : un raisin dit **moisi** n'a aucune chance de livrer un vin convenable. Le terme exprime un bulletin météo sinistre : des pluies intenses ont gâché l'été, de puissantes averses au moment des vendanges l'ont achevé, une pourriture grise est apparue sur la peau, des notes désagréables de saleté apparaissent. Elles rappellent la poussière, la pourriture…

Ces caractéristiques dues à la météorologie montrent bien combien dans une même région vinicole, et pour la même année, des maturations de fruits peuvent s'avérer différentes. L'exposition au soleil, le type de cépage, le sol, l'âge de la vigne sont donc autant de paramètres à prendre en considération. Et je n'évoque pas la décision du viticulteur, seul maître à bord pour la date de sa récolte !

Prenons la région du Bordelais comme exemple, et observons ces différents facteurs. Sur une même parcelle, le merlot est un cépage qui mûrit trois à quatre semaines en avance par rapport à son voisin le cabernet sauvignon. Lors d'un été pluvieux, le propriétaire peut cueillir son merlot un peu vert, donc de maturité imparfaite. Si l'arrière-saison est très ensoleillée, le cabernet sauvignon est privilégié avec des conditions idéales pour une maturité optimale du raisin. Voyons également le terroir. Lors d'une année de sécheresse, le merlot, planté sur un sol argileux, obtient une bonne maturité grâce à l'argile, cette véritable éponge qui retient les pluies de printemps dans le sous-sol, maintient les racines dans un milieu frais et humide, garantissant ainsi une quantité suffisante d'eau pour les plantes afin d'obtenir une bonne maturité des raisins.

La situation est bien différente pour le cabernet sauvignon planté sur des sols graveleux au drainage optimal, qui, dans les années sèches, avec des sous-sols assoiffés, ne peut atteindre sa maturité phénolique car la vigne souffrira d'un manque hydraulique et présentera des fruits déséquilibrés dans leur rapport eau-sucre-acidité.

N'oublions pas non plus qu'en altitude, donc sous une météo influencée par une forte amplitude thermique (journée chaude et nuit fraîche), la maturité d'un fruit s'intensifie. Au Chili, où le thermomètre bondit à 35 °C à midi et descend à 10 °C la nuit, la peau du raisin travaille, s'épaissit et durcit, concentrant dans le fruit la couleur, le tanin, et surtout les arômes.

La maturité du fruit dépendra de son exposition. Un vignoble exposé au nord, en plus d'un feuillage important et d'un rendement élevé, a toutes les chances de présenter des raisins encore verts aux vendanges. Dans le cas d'une exposition plein sud, avec de faibles rendements et peu de feuillage sur les vignes, le risque est grand, en revanche, de cueillir des fruits trop mûrs.

Mais si nous considérons encore l'âge de la vigne (les plants les plus âgés produisent des raisins en moindre quantité), l'intervention de l'homme qui modifie le cours de la nature à travers ses pratiques de cave et de vignoble (taille, défeuillage, irrigation, viticulture bio…), il semble évident que le vin, plus que tout autre produit, est rétif à la généralisation. Ce constat ne doit pas nous décourager d'y comprendre quelque chose. Alors établissons une différence d'une parcelle à l'autre, d'un produit à l'autre. Poursuivons notre exploration.

L'élevage en bois.

Naturellement, je n'observe ce paramètre que pour juger les vins élevés en fûts. Dans cette phase d'appréciation, **la tâche du dégustateur est d'évaluer la qualité même du tonneau et de définir son apport dans la qualité finale du vin.**

Qu'il offre au nez une touche de complexité et d'amabilité tout en respectant la nature du fruit et du vin, il donnera un bouquet **élégant**. D'ailleurs, à mesure que vieillira ce cru, la touche boisée disparaîtra. Le vin témoignera ainsi de corps et de caractère tandis que le bouquet sera plus complexe.

La durée d'élevage entre en ligne de compte dans la qualité du bouquet, de même que le type de chauffe utilisé pour le bois (qui selon la température détermine un goût fumé, torréfié…) et bien sûr la qualité du chêne en lui-même qui agit sur les tanins. Les bois français des Vosges, du Limousin ou de l'Allier sont réputés parmi les meilleurs, suivis du grand rival d'origine américaine : le bois de chênes blancs, qui donne des caractéristiques plus sucrées avec des notes de coco, de vanille, moins complexes et raffinées. Notons que, sur ce point, le producteur préfère le plus souvent choisir chez le tonnelier une diversité de barriques pour obtenir une combinaison de saveurs aussi large que possible. Globalement, la plupart des grands terroirs connaissent ce marquage du bois. Mais il disparaît peu à peu au profit de la complexité et de la structure du vin, sauf si l'élevage en bois est trop **prononcé,** parasitant la nature du vin avec des notes fumées, torréfiées, toastées, grillées – un vin qui ressemble à un petit déjeuner à l'anglaise. Mais il y a pire encore : un élevage en bois est **vulgaire** quand les vins vieillissent dans des fûts trop vieux, de qualité moyenne ou sales, lesquels, par capillarité, transmettent aux vins des tares comme l'oxydation et l'acidité volatile (odeur de vinaigre).

Le passage en fût de bois n'est pas indispensable à la bonne qualité d'un vin. Des vins exceptionnels, très purs, minéraux, avec des parfums de fleurs et de fruits frais, riches d'une structure élégante, légers et rafraîchissants, ne connaissent pas un seul instant le contact avec le bois. Au fond, à l'instar de nombreux experts, je pense que cette étape dans la vinification devrait se limiter à une légère « touche de maquillage », comme se met en valeur la beauté naturelle d'une femme.

Malheureusement, nous savons combien les faux-semblants se multiplient aujourd'hui. Il existe nombre de vins très jeunes dominés par le bois neuf, avec des arômes torréfiés et vanillés qui se révèlent immédiatement au nez. Ces produits de grande consommation cachent le vrai parfum du vin! Je ne me m'attarderai pas sur ce chapitre, mais je me désole chaque jour de voir se répandre partout ces bouteilles élaborées, faute de terroirs, par des producteurs qui veulent imposer un style prédéterminé, vulgarisant leur bien et le surchargeant d'artifices à la mode. On ne reconnaît plus la nature du raisin. Il s'agit presque d'un concept industriel fondé sur des produits standardisés qui ne présentent aucun défaut. Ils ne me donnent pas de plaisir. Ils sont à l'image de ces poulets élevés en batterie dont la chair, sans consistance, se détache facilement de la carcasse. Un consommateur qui n'a jamais goûté un poulet fermier y trouve peut-être du plaisir...

Si on prend le cas de l'Australie – un exemple parmi d'autres –, sa capacité de production, en six années, est passée de 80 000 hectares de vignes à 150 000 hectares! Oui, de 1996 à 2000, la surface viticole a pratiquement doublé. Quelle expérience peut-on engranger en si peu de temps pour trouver l'exact mariage entre la nature du sol, l'encépagement, le climat et l'élevage? Je ne condamne pas en bloc ces productions, car certaines sont plaisantes et d'autres même excellentes, mais j'essaie de faire la comparaison avec une région européenne à la tradition millénaire, qui donne des vins à la personnalité très affirmée…

Concluons tout de même cette évocation de l'élevage en bois sur une note positive. Un peu partout, les vignobles s'équipent de nouvelles barriques au terme de trois années de lie, permettant à la présence discrète du bois de jouer son rôle d'encadrement dans la complexité et la structure du vin. Je vois bien comment les consommateurs avertis affichent désormais une volonté assez claire de tourner le dos à la standardisation, réclamant de plus en plus des vins aux origines et aux identités bien affirmées, d'ici ou ailleurs.

LES BOIS DU VIN

Il existe six cents types de bois qui se partagent en :
chêne rouge
chêne blanc

Pour le vin, trois types de chêne blanc sont utilisés :
Quercus Alba, d'origine américaine.
Quercus Sessiflora, appelé aussi : *Quercus Petraea*
Quercus Robur, d'origine française.

Le premier producteur de chêne est l'Amérique du Nord avec plus de 700 millions de mètres cubes ; la France produit plus de 400 millions de mètres cubes.
La qualité que nous pouvons considérer la meilleure est la française, plus chère, dont l'origine est le *Quercus Sessiflora* avec un grain plus serré ou le *Quercus Robur* avec un grain plus large.
Les régions productrices les plus importantes en France sont la Nièvre, l'Allier, les Vosges, le Limousin, la Sarthe, l'Argonne.

NOM ET TAILLE DE QUELQUES FÛTS

Aume	Alsace	114 litres
Foudre	Alsace	1 000 litres
	Moselle	1 000 litres appelée Fuder
Pièce	Beaujolais	216 litres
	Bourgogne	228 litres
	Mâconnais	215 litres
	Rhône Sud	225 litres
Barrique	Bordeaux	225 litres
Tonneau	Bordeaux	900 litres soit 4 barriques ou 100 caisses
Quartaut	Beaujolais 1⁄4 d'une pièce	54 litres
Utile pour l'ouillage	Bordeaux 1⁄4 d'une barrique	56 litres
	Bourgogne 1⁄4 d'une pièce	57 litres
Demi-barrique	Bordeaux	112 litres
	Beaujolais 1⁄2 pièce	108 litres
	Bourgogne 1⁄2 pièce	114 litres
Feuillette	Chablis	132 litres
Demi-Huid	Châteauneuf-du-Pape	600 litres
Cognac	Standard	350 litres
	En 1990	275 litres
	Pendant la Révolution Française	200 litres
Armagnac	Standard	272,6 litres
Stück	Rhin, Allemagne	1 200 litres
Doppelstück	Rhin Allemagne	2 400 litres
Halbstück	Rhin, Allemagne	600 litres
Viertelstück	Rhin, Allemagne	300 litres
Ohm	Rhin, Allemagne	150 litres
Doppelohm	Rhin, Allemagne	300 litres
Hogshead	Australie	295,3 litres
Puncheons	Australia/Nouvelle Zélande	450/500 litres
Pipe	Porto	550 litres National
		534 litres Export
Madère	Standard	418 litres
Marsala	Standard	422,6 litres
Bota	Xérès	600/650 litres
Octove	Xérès	61,4 litres
Sobretablas	Xérès	550 litres
Caratelli	Vin Santo	50/225 litres
Gonci Hordok	Tokaji	136 litres
Tonellak	Tokaji	20/30 litres
Antalagok	Tokaji	72/75 litres
Majd Szerednej Hordok	Tokaji	200/210 litres
Nagyobbmeretu	Tokaji	225/228 litres

La qualité du bouquet.

Pour cette estimation, retenons les paramètres cités précédemment (stade d'évolution, degré d'intensité, de persistance, de maturité du fruit, senteurs du bois) et additionnons-les afin d'établir des notions de cohérence, de logique, et de plaisir.

Cinq nuances me permettent de définir précisément l'expression aromatique du bouquet : excellente, raffinée, discrète, insuffisante, mauvaise.

Un grand vin aura encore avantage à vieillir pour exprimer sans réserve son **excellence**. Il est important de préciser ici que le critère du prix n'entre pas en ligne de compte. Un vin de dix euros peut s'avérer excellent comme un vin de cent euros du point de vue de la qualité si une vraie logique apparaît dans sa persistance, son intensité, la maturité du fruit, etc.

Un vin de qualité **raffinée** se distingue par son élégance, sa complexité et sa subtilité qui le rendent très persistant ; et par le respect du fruit mis en valeur.

Un vin simple de compréhension, mais tout même agréable à boire, jeune, et sans prétention de vieillissement, est jugé **discret**.

On quitte le champ des valeurs positives pour atteindre une qualité **insuffisante** quand le vin se présente trop boisé, dominé par des notes végétales ou issu de raisins trop mûrs.

Le plaisir est tout simplement absent quand on a affaire à un vin classé dans la catégorie **mauvaise**. Les défauts peuvent varier, de l'odeur de pourriture à celle de bouchon, d'acidité volatile (odeur de vinaigre) ou d'oxydation.

Remarque : Un bouquet dit de « réduction » (phénomène contraire à l'oxydation) n'est pas forcément signe de mauvaise qualité. Ce parfum se traduit par des odeurs qui rappellent l'acier, le métal, des notes animales, d'étable, de saucissons… De telles émanations peuvent se présenter à un moment délicat de la vie du vin (en particulier lorsqu'il manque d'oxygène après la mise en bouteille), et n'être que passagères. Par exemple, la syrah, le mourvèdre, ou la mondeuse sont des cépages plus sensibles que d'autres. Un soutirage, si le vin est en barrique – ou une simple décantation de la bouteille –, permet de remédier à ce petit défaut temporaire. Ainsi le vin respire, absorbant une quantité suffisante d'oxygène pour éliminer les mauvaises odeurs et délivrer ses qualités olfactives. Au réveillon, je compose de beaux

mariages entre les mets et les vins en ouvrant une grande bouteille pour mon équipe de sommeliers. Cette année, j'ai proposé un civet de lièvre accompagné de gnocchi sautés au beurre, parmesan et sauge, en accord avec une extraordinaire Côte-Rôtie Côte Brune 1991, de Jean-Paul Jamet. J'avais décanté cette bouteille la veille. Réduite à l'ouverture, la syrah apparaissait dans toute sa dureté et sa virilité. Douze heures plus tard, les notes négatives disparaissaient pour révéler des parfums de confitures et d'épices. Nous avons dégusté la bouteille après ces vingt-quatre heures de décantation et il s'agissait d'une pure merveille. Nous avons passé chacun plusieurs minutes à la sentir. Dans la complexité de sa phase tertiaire, le bouquet exhalait des senteurs de pruneaux frais, de poire, de curcuma, de laurier, de truffe noire, de gibier, d'herbes sèches, de genièvre, de tabac... C'était incroyable de voir combien l'oxygène lui avait rendu sa noblesse. J'établis souvent des comparaisons entre le vin et l'homme. Je voyais là un individu ouvert, dans la plénitude de sa quarantaine, alors que quelques heures plus tôt, à l'ouverture, j'avais en face de moi un adolescent un peu nerveux, désagréable, incapable de s'exprimer.

LE DEUXIÈME NEZ

Au stade basique du premier nez succède maintenant un univers olfactif plus complexe et caché, le deuxième nez indispensable pour définir l'ensemble olfactif d'un vin.

Nature du bouquet.

- **Ample** : s'il réunit diverses familles d'arômes.
- **Vineux** : s'il révèle un aspect de jeunesse et de fraîcheur, rappelant le parfum du moût de raisin.
- **Franc** : avec des senteurs nettes et précises.
- **Éther** : avec des notes d'alcool prononcées, d'acétone, de vernis, de bougie.
- **Aromatique** : si son parfum dominant est celui du raisin frais ou d'herbes fraîches aromatiques (menthe, basilic, thym, etc.).
- **Grillé** : quand son arôme rappelle celui du pain toasté.
- **Minéral** : propre aux vins produits sur un grand terroir dont le bouquet évoque la pierre, le silex, la mine de crayon et la poudre.
- **Fumé** : pour les vins vieillis en bois neuf à chauffe haute au parfum de bois brûlé.
- **Barriqué** : pour un vin élevé en fût neuf et qui dégage des parfums de réglisse, noisette, cacao, noix de coco, vanille, etc.
- **Fragrant** : avec des notes de levure et de mie de pain.
- **Linéaire** : s'il exprime les parfums d'une seule famille aromatique.
- **Fidèle** : quand on désigne facilement son cépage ou son cru d'origine.
- **Ouvert** : si un bouquet libère toutes ses qualités grâce à l'oxygénation pour donner un vin accompli.
- **Fermé** : si au contraire il est timide, réservé, en réalité dans une phase de jeunesse.

- **Pur** : s'il définit la clarté et la précision d'un cépage et d'un cru, le plus souvent pour des vins non boisés.
- **Complexe** : quand l'examen olfactif d'un bouquet évolue dans le verre en se transformant et développant une large gamme de parfums.
- **Lactique** : quand il rappelle les notes crémeuses du beurre, de la chantilly et du yaourt, etc.
- **Madérisé** : s'il rappelle le madère, c'est une caractéristique positive pour les vins de style oxydatif, mais négative pour la plupart des vins, car elle indique un défaut d'oxydation.

Pierre mouillée qui exprime la minéralité.

Les familles d'arômes.

Détecter ces familles d'arômes et établir les notes dominantes d'un bouquet représente l'instant le plus poétique de la dégustation. Pour un sommelier, c'est ici que le nez exerce le plus son imagination. Je recommande souvent à mes clients de s'entraîner à reconnaître les parfums qui les entourent. Fermons encore les yeux et retrouvons, par exemple, le parfum d'une pomme, d'un citron, d'une rose, d'une banane, du poivre…

Bien avant d'être sommelier, j'ai approché les aliments avec mon nez. Je hume depuis l'enfance. J'ai encore en tête l'odeur du parfum de ma mère, sa sauce tomate, la voiture de mon père ou les effluves des repas de Noël… Ma préparation au concours de sommelier a principalement consisté à m'asseoir face à trente épices, une quinzaine de fruits coupés, ou encore devant une brassée de fleurs. Je recommande aux amateurs de s'exercer ainsi pour progresser à vive allure. La plupart d'entre nous peuvent se rappeler un nombre infini de mauvaises odeurs, comme celles de l'essence ou du métro. Mais combien, les yeux fermés, imagineront celle d'une rose ? C'est bien dommage d'oublier ce que la nature nous donne… Alors pourquoi ne pas étendre ce savoir ? Il n'y a rien de plus beau dans la vie que la transmission du savoir !

Un bouquet, jeune ou vieux, peut receler jusqu'à six familles d'arômes (et même davantage !). La moyenne se situe entre deux et trois familles ; mais, là encore, les possibilités sont nombreuses car on peut retrouver plusieurs centaines de parfums dans le vin ! Alors au travail. Le chantier est vaste. Et les heures d'ouverture limitées : pour percevoir au mieux les parfums, je recommande de se mettre à l'ouvrage entre 10 heures et midi, soit deux heures après le petit déjeuner : lorsque la tête est vide, le nez vierge, et que tous les sens sont aux aguets.

Les familles d'arômes se classent en une petite dizaine de catégories.

• Les senteurs **florales** issues des fleurs blanches, jaunes, et fraîches expriment la jeunesse du vin. En général, elles sont accompagnées d'arômes de fruits frais et d'épices à peine moulues, d'herbes aromatiques et de notes herbacées. L'odeur de fleurs séchées, ou de fleurs rouges, parfois escortée de fruits secs, cuits, à l'eau-de-vie, ou en confiture, d'arômes de sous-bois, d'épices, d'animaux ou de bois, révèle plutôt un bouquet de complexité et d'évolution.

• La famille des **herbes aromatiques** donne de nombreuses indications. Les herbes fraîches signent des vins blancs jeunes, frais, qui n'ont pas séjourné en fûts de bois. Des parfums d'infusions d'herbes aromatiques, en revanche, établissent un vin longuement mûri en fût ou en bouteille. Des parfums d'herbes sèches, ou cuites,

indiquent également un vin rouge vieilli et produit dans une région vinicole chaude. Dans la famille des herbes aromatiques se retrouvent en particulier les parfums suivants : menthe, ciboulette, tilleul, verveine, origan, romarin…

• L'arôme dit **végétal herbacé** regroupe les parfums verts comme le poivron vert, l'herbe coupée, le musc, les épinards, l'artichaut, les asperges, le foin… Un bouquet typé dans cette catégorie révèle des raisins qui n'ont pas été récoltés à parfaite maturité. Il peut aussi révéler une région de production aux conditions météorologiques extrêmes, ou une année froide.

• La famille d'arômes des **fruits**, souvent présente, est familière au plus néophyte des amateurs de vin. Comme pour les fleurs, le parfum de fruits frais (pomme, poire, pêche, abricot, fraise…) est signe de jeunesse. Le fruit cuit et la confiture indiquent une année chaude et une forte maturité des raisins, tandis que le parfum de

fruits secs (amandes, noisettes, noix…) montre une évolution (en particulier pour les vins blancs). Les notes de fruits exotiques (papaye, mangue, fruit de la passion, ananas…) et de pulpe de fruits sucrés sont des indices de raisins récoltés à maturité, typiques des vins doux. Des fruits acidulés (agrumes, pomme verte, kiwi, framboise…), à l'inverse, expriment un vin produit avec des raisins possédant une bonne acidité.

• La famille des **sous-bois** regroupe des parfums comme les cèpes, la truffe, les champignons, la terre humide, les feuilles d'arbre, l'humus, une cave humide… C'est un vin mature, vieilli en bouteille pendant de nombreuses années, qui affiche un tel bouquet. Souvent, il se présente accompagné de notes d'épices, de notes animales et de notes de fruits secs.

• La famille des **épices** accompagne le vin à toutes les étapes de sa vie. La jeunesse privilégie des épices moulues (poivre noir, coriandre, paprika, curry…), tandis que l'âge mûr se concentre sur des épices pour cuisine (clous de girofle, genièvre, noix de muscade…).

• La famille des arômes **animaux** (cuir, fourrure, cheval, saucisson, jus de viande cuite, gibier…) révèle un vin mûr obtenu après un long vieillissement, qui peut malheureusement se trouver dans une phase de réduction du bouquet.

- Dans les arômes de **bois** se rangent les notes produites par l'élevage en fût. Ils présentent les variations suivantes : le grillé (qui rappelle le pain toasté), la torréfaction (le café), et les parfums de pâtisseries (cacao, réglisse, vanille, noix de coco…).

- La famille des **senteurs diverses** réunit les parfums de miel, de tabac pour pipe, de cigare, de beurre, de crème, de cendre, de bois ciré, ou encore d'iode, que je ne peux ranger ailleurs.
- Les **arômes négatifs** : imaginez une famille composée de vinaigre, soufre, plastique, relents de médicament, fromage, bouchon, œuf, colle, poisson, oxydation, savon, ail… Bref, passez votre chemin !

EXEMPLES DE PARFUMS PAR FAMILLES

FLEURS (FRAÎCHES, SÈCHES, EN INFUSION)

• Jasmin, géranium, rose, violette, acacia, tournesol, magnolia, marguerite, hibiscus, iris, lavande, mimosa, camomille, orchidée, hortensia, bergamote, lilas, lis, aubépine, narcisse, sureau, fleurs d'oranger, de cerisier, jacinthe…

HERBES AROMATIQUES (FRAÎCHES, SÈCHES, EN INFUSION)

• Laurier, sauge, tilleul, verveine, thym, basilic, menthe, citronnelle, cerfeuil, romarin, aneth, fenouil, angélique, coriandre, ciboulette, origan, estragon, mélisse, sarriette, persil, oseille, garrigue, eucalyptus…

VÉGÉTAL HERBACÉ

• Artichaut, épinard, asperge, haricot vert, poivron vert, chicorée, herbe coupée, poireau, câpres, cresson, cornichon, roquette, ortie, chili, foin, céleri, feuille de tomate, thé et café verts…

FRUITS (FRAIS, SECS, À L'EAU-DE-VIE, CONFITURES, COMPOTES)

• Frais : melon, pêche, abricot, banane, pomme, poire, coing, kiwi, kaki, cerise, pastèque, framboise, fraise, fraise des bois, raisin, figue, datte, prune, pruneau, mirabelle, quetsche, cassis, myrtille, mûre, reine-claude…
• Exotiques : ananas, papaye, mangue, goyave, lichee, fruits de la passion, noix de coco…
• Agrumes : mandarine, pamplemousse, orange, citron vert, citron, clémentine, kumquat, cédrats…
• Secs : amande, noix, noisette, châtaigne, pistache, pignon de pain, arachide…

SOUS-BOIS

• Truffe noire, truffe blanche, cèpe, champignon de Paris, morille, girolle, musc, mousse d'arbre, terre mouillée, humus, fougère, forêt, cave humide, pin…

ÉPICES (MOULUES, EN CUISSON)

• Anis, badiane, cardamome, curcuma, coriandre, poivre blanc, rose, noir et vert, absinthe, curry, cannelle, vanille, réglisse, safran, gingembre, pain d'épices, muscade, clous de girofle, raifort, cumin, génépi, genièvre, harissa…

ANIMAL

• Gibier, renard, fourrure, sauce de viande, charcuterie, écurie, venaison, sueur, cuir, civet…

BOIS

• Fumé, cendré, torréfié, cacao, chêne, toasté, pain grillé, cire de meuble, caoutchouc, écorce d'arbre, encens…

DIVERS

• Miel d'acacia, miel en général, beurre, brioche, crème, olive, moutarde, thé noir, levure de pain, pierre mouillée, silex, pétrole, goudron, résine, tabac…

LA BOUCHE

Pour le dégustateur, passer de la coupe aux lèvres est une conclusion, confirmant ou non ses déductions visuelles et olfactives. Avant d'évoquer l'effet des premiers instants de la dégustation en bouche, c'est-à-dire l'équilibre entre la souplesse et la dureté, il me paraît utile, en une petite leçon d'anatomie, de rappeler comment se répartissent les zones tactiles de notre langue.

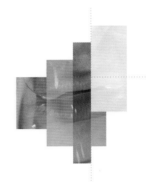

La pointe reconnaît ce qui est **sucré**, doux. Un simple morceau de sucre glissé en bouche permet d'identifier cette sensation sur le bout de la langue. Le dégustateur détecte ainsi la présence de sucre résiduel dans les vins doux issus de vendanges tardives, les sélections de grains nobles, les vins mutés, les vins liquoreux, mais aussi les blancs, rosés, ou rouges caractérisés par trois ou quatre grammes (parfois plus) de sucre présents après fermentation (sucres résiduels).

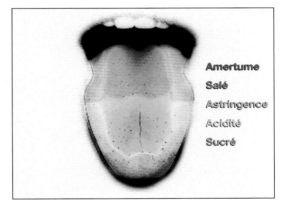

Amertume
Salé
Astringence
Acidité
Sucré

La partie latérale antérieure perçoit l'**acidité**. Elle est prononcée pour les vins jeunes, particulièrement les blancs. Une tranche de citron posée sur la langue permet de comprendre ce phénomène. La zone latérale postérieure perçoit un goût de **salé** facile à identifier en cuisine, mais plus complexe à distinguer dans l'analyse du vin. Elle témoigne des sels minéraux que l'on retrouve en particulier sur des terroirs proches de la mer. Il suffit de placer en bouche une petite quantité de sels pour saisir cette sensation.

Au centre de la langue, on identifie les sensations tactiles liées aux **tanins**. Comme nous le verrons plus loin, il est capital pour la structure du vin que ces tanins soient en équilibre avec l'alcool. Ils apparaissent avec force (une sensation de râpeux) en frottant la langue contre le palais. Goûter un artichaut cru, ou un kaki vert, est la meilleure façon de s'apercevoir que cette âpreté (on parle d'**astringence** pour le vin) est principalement détectée par la partie centrale de la langue.

L'**amertume**, enfin, est perçue tout au fond de la langue. Elle résulte d'un excès de tanins ou de jeunesse du vin, mais aussi d'une utilisation exagérée du bois neuf qui assèche le corps du vin, ou encore d'un excès de concentration. Précisons que cette concentration peut être obtenue par un trop faible rendement dans le vignoble et/ou par des pratiques de vinification qui extraient au maximum la matière présente dans les raisins. Dans ces cas, le dégustateur ressent une fin de bouche amère qui peut s'apparenter au thé trop infusé, au chocolat 100 % cacao ou encore à un plat brûlé.

Maintenant que nous connaissons les points sensibles de notre langue, retrouvons les douze cépages évoqués lors des étapes consacrées à l'« œil » et au « nez » et identifions leur « bouche » :

LA STRUCTURE DE QUELQUES CÉPAGES BLANCS

- *LE SAUVIGNON BLANC*, cépage d'intensité plutôt que de persistance, est basé sur l'acidité. En bouche, il offre principalement de la fraîcheur. Après un séjour en fût, il se tient davantage sur le gras, préserve une plus grande rondeur, avec toujours cette pointe d'acidité. La structure est légère. La bouche est friande.

- *LE VIOGNIER* est le contraire du sauvignon blanc avec son gras, sa profondeur et sa générosité fondée sur la souplesse et la rondeur. Il a naturellement une faible acidité. Très extravagant !

- *LE CHARDONNAY* est gras en bouche, équilibré par une bonne acidité et une bonne minéralité. Ses caractéristiques principales sont la longueur et la précision. C'est un cépage toujours élégant en bouche, qui s'enrichit de notes exotiques et de beurre après un passage en bois neuf.

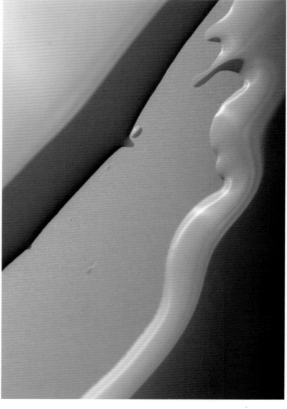

- *LE RIESLING* exprime une bouche droite avec une colonne vertébrale minérale, d'acidité élevée. Il est tout de suite rafraîchissant. Le sucre résiduel peut donner de la souplesse. Selon les pays, l'alcool est plus ou moins faible.

- *LA ROUSSANNE,* très ouverte, avec une intensité nette, possède une bouche chaleureuse, puissante, dotée d'un beau gras. Une pointe d'acidité est nécessaire pour atteindre l'équilibre.

- La bouche du *CHASSELAS* est très agréable et légère, souvent maigre. Très digeste, ce cépage se magnifie sur un bon terroir.

LA STRUCTURE DE QUELQUES CÉPAGES ROUGES

LE PINOT NOIR exprime en bouche une certaine légèreté. Digeste lui aussi, il est linéaire et frais avec peu de tanins, de gras, et jamais trop de puissance. Lors de grandes années, il acquiert une belle complexité.

LE CABERNET SAUVIGNON donne une bouche soutenue et élégante. Il constitue un juste compromis, avec beaucoup de profondeur, de complexité, entre tanins et longueur.

LA SYRAH, cépage très pointu, est puissante et équilibrée en bouche, riche en alcool et en intensité. Elle exprime une grande structure à condition de bénéficier à la fois d'un bon écart thermique entre la nuit et le jour, et d'une bonne vinification. Avec le temps, elle s'enrichit de notes animales et de gibier.

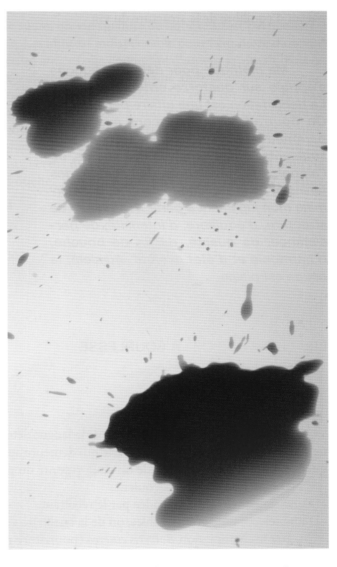

LE GRENACHE affiche un profil souple avec des tanins arrondis et subtils. Il se porte facilement vers l'alcool. Sur un grand terroir, il garde une belle élégance.

LE GAMAY, très spontané et intense en bouche, n'est jamais écœurant. Frais, plaisant, léger par le corps, il se boit dans sa jeunesse.

LE NEBBIOLO affiche une bonne puissance en alcool et en tanins. D'une forte personnalité et d'un caractère riche, il se caractérise en bouche par la générosité de sa structure, sa subtilité et sa persistance. Il nécessite beaucoup d'années pour s'arrondir et s'accomplir.

Avant de porter le vin en bouche, précisons que le dégustateur doit respirer de sorte que l'oxygène exalte les différentes sensations du palais. Le mental est prêt, les papilles ont salivé. Au fond, nous agissons maintenant comme celui qui ouvre les bras à un ami longtemps espéré.

L'alcool.

L'alcool est, après l'eau, l'élément que l'on retrouve en plus grande quantité dans le vin. Résultant des sucres présents dans les raisins au moment de la vendange, transformé par la fermentation, il est le garant de la chaleur, de la puissance et de l'intensité gustative. Privé de longueur, il est intensité plutôt que persistance à l'exception d'un vin maigre dans lequel, seule dominante, il se conserve en fin de bouche.

Une teneur en alcool trop élevée peut piquer et provoquer une sensation de brûlure au palais. Les vins des régions ensoleillées en sont naturellement pourvus et doivent la compenser par une excellente fraîcheur et tannicité pour atteindre l'équilibre, et pour se révéler puissants et élégants à la fois.

Perçu par la bouche, l'alcool l'est aussi par le reste du corps, provoquant un relâchement des systèmes nerveux et musculaire dû à ses propriétés vasodilatatrices.

On retiendra cinq adjectifs pour définir l'intensité de sa perception :

- **Généreux** : pour les vins très riches en alcool.
- **Chaleureux** : pour la plupart des vins produits dans des régions ensoleillées.
- **Discret** : correspond à un niveau normal d'équilibre.
- **Léger** : concerne essentiellement les vins produits dans des régions peu ensoleillées ou les années fraîches.
- **Faible** : pour tous les raisins n'atteignant pas une maturité suffisante en sucre lors des vendanges.

L'influence climatique est capitale sur la teneur en alcool d'un vin. À titre d'exemple, il suffit pour s'en convaincre de goûter une bouteille du même producteur de l'année 2003 issue de la Vallée du Rhône (un été de sécheresse et de chaleur) et de la comparer avec l'année 2002 (des conditions climatiques froides et pluvieuses). Le 2003 s'est exprimé de façon puissante et chaleureuse avec une bouche enveloppante ; tandis que 2002 était maigre, léger en alcool et d'une structure dure.

Si le paramètre d'alcool ne définit pas forcément sa qualité (des rieslings allemands extraordinaires affichent 8°), sa puissance n'est pas non plus un mauvais critère – l'Amarone della Valpolicella grimpe à 15°, voire plus. C'est toujours une question d'équilibre. Les rieslings conserveront toujours un peu de sucre résiduel qui équilibre l'acidité des vins allemands ; tandis que l'amarone (le vin de Roméo et Juliette) est obtenu par trois cépages, la corvina, la rondinella et la molinara, qui possèdent une bonne fraîcheur et une magnifique présence de tanins pour équilibrer la forte teneur en alcool du vin.

L'excès de consommation est bien sûr nocif pour la santé et mon rôle de sommelier, dans la salle, est de veiller à ce que chacun reste dans la mesure. J'ai une solution pour ceux qui franchissent la ligne jaune : une visite dans les sous-sols, le temps d'apprécier de belles étiquettes, avec une température fraîche pour se dégriser !

Les polyalcools.

Les polyalcools produisent une sensation de rondeur. Ils assurent enrobement et onctuosité. Sur les parois du palais, à titre de comparaison, le beurre et la crème fraîche procurent eux aussi cet effet de souplesse propre aux polyalcools dans le vin. Leur rôle est particulièrement actif chez un vin mature. Pour un vin jeune, naturellement, la balance gustative penche en faveur de la dureté et de l'angulosité.

Le classement des polyalcools se fait ainsi :
- **Très souple :** peut signaler la phase décadente d'un vin, surtout si l'on n'y trouve pas l'équilibre conféré par une acidité, une tannicité, ou une minéralité optimales.
- **Souple :** définit un vin à maturité parfaite, théoriquement riche d'un bouquet tertiaire et d'une couleur évoluée. Mais à la condition d'une évolution logique, car il peut arriver que la sensation en bouche ne corresponde pas aux examens olfactifs et visuels, ce qui range alors le vin dans une catégorie dite « disharmonieuse ».
- **Rond :** c'est un vin qui procure un plaisir immédiat au dégustateur. Il est prêt à boire, parfaitement équilibré entre les sensations de dureté et de souplesse.
- **Peu rond :** lorsque la balance penche trop fortement du côté de la dureté, signant un vin jeune, ou une production victime du froid.
- Si cette sensation est plus prononcée, on parle alors d'un vin **dur**. Cette caractéristique peut s'atténuer après un long vieillissement qui corrige les effets de déséquilibre produits par des raisins manifestement cueillis alors qu'ils n'étaient pas parfaitement mûrs.

Perçus au premier instant de la dégustation, les polyalcools délivrent donc un plaisir sensuel. Ses effets de gras en bouche ne peuvent se confondre avec les bouffées de chaleur provoquées par l'alcool.

LES ÉLÉMENTS DE LA DURETÉ

L'acidité.

L'acidité est synonyme de vie pour le vin. Elle procure fraîcheur et légèreté. En bouche, son excès rappelle l'expression d'un fruit frais comme la pomme verte ou, mieux encore, d'un agrume. Accompagnée par les tanins et la minéralité, elle garantit la persistance et l'intensité.

Pour le dégustateur débutant, la sensation d'acidité constitue un élément désagréable qui ne l'aide pas à apprécier le vin. Généralement, il lui préfère la sensation d'alcool et de moelleux. Avec le temps, son palais évolue, et c'est précisément cette sensation d'acidité qu'il recherche en premier lieu. Du vin le plus acide, dit vert, au vin le moins acide, dit plat, s'étend une gamme de nuances caractéristiques. Avant d'abord ces diverses questions, voici quelques généralités qu'il convient de mémoriser ici.

L'acidité élevée d'un vin est synonyme de jeunesse. Elle tend à diminuer à mesure que le vin vieillit, jusqu'à disparaître si celui-ci devient trop vieux. Les blancs ont une acidité plus élevée que les rouges ; les cépages peu aromatiques ont une acidité inférieure comparée à celle des cépages aromatiques. Les vignobles des régions froides, ou d'altitude, développent une acidité plus haute que les vignobles établis sous des climats chauds, ou en plaine. Attention, enfin, aux vins soumis à l'acidification, cet ajout d'acide tartrique qui corrige de manière artificielle un manque d'acidité. L'utilisation de ce procédé se révèle, lors de la dégustation, par son agressivité sur le palais.

Comment se déterminent les différentes phases de l'acidité ? On considère qu'un vin est **vert** lorsqu'il est obtenu à partir de raisins peu mûrs. C'est un signe négatif. Il se révèle peu équilibré et ne doit pas être confondu avec le paramètre **très frais,** synonyme d'un vin jeune exprimant une fraîcheur plaisante désirée par le producteur, ou caractéristique d'une région et d'un cépage. Je pense aux vins exhalant leur spontanéité ou leur fraîcheur comme le sauvignon, le champagne blanc de blancs, le muscat, le gamay, le riesling...

Face à une juste acidité et une expression aérienne, on parle d'un vin **frais.** Cette notion est évoquée lorsqu'il s'agit d'une cuvée en bon état d'évolution, prête à boire, jeune ou âgée, qu'importe, du moment qu'elle procure une véritable fraîcheur au palais. À titre indicatif, on inclut dans cette catégorie : les bourgognes-village en blanc de trois à cinq ans, les premiers crus et grands crus de cinq à sept ans, les champagnes millésimés entre six et huit ans, et les bordeaux grands crus classés de cinq à dix ans.

Les vins **faibles** en acidité sont les vins matures, probablement à l'apogée de leur vie – cette légèreté en acidité indiquant que le vin ne doit plus vieillir. Au risque de voir celle-ci complètement disparaître. On parlera dans ce cas d'un vin **plat.**

Les tanins.

Fondamentaux pour le vieillissement des vins rouges, les tanins sont des éléments palpables en bouche qui procurent cette sensation de consistance, d'astringence et d'amertume que l'on retrouve dans l'artichaut cru ou le thé trop infusé. Très marqués chez les vins jeunes avec ce râpeux que l'on perçoit en frottant le centre de la langue et le palais, ils s'assouplissent au cours de la maturation.

Avant d'aller plus loin, je veux rappeler que le tanin est une substance astringente qui, outre les pellicules et pépins de raisin, se retrouve aussi dans l'écorce d'arbre. Il possède des qualités antiseptiques et antioxydantes particulièrement présentes dans les vins rouges. Les blancs, qui en recèlent une quantité minime, ne sont pas concernés par le phénomène. Ainsi s'exposent-ils à une oxydation plus rapide.

On distingue ainsi les tanins naturels, qui s'adoucissent avec le temps, de ceux qui sont obtenus par l'utilisation de bois. Un fût neuf en diffuse en grande quantité, puis la substance s'évanouit au fil du temps. Si le bouquet du vin comporte des notes douceâtres de vanille, de réglisse, ou encore d'extraits de noix de coco, si le passage en bouche révèle une forte intensité mais une persistance courte, avec un final astringent qui rappelle le goût du kaki pas mûr, on est en présence d'un passage excessif en bois neuf.

En vérité, il n'est pas si difficile de reconnaître une production tannique possédant un potentiel de vieillissement d'une autre production mal formée, qui présente des tanins verts issus des mauvaises années ou d'un élevage en bois exagéré. Un vin qui se révèle en bouche structuré, avec un bon niveau d'alcool, des tanins astringents, une robe intense pourpre violacé et un bouquet d'arômes très fermé, est sûrement un vin dont les tanins vont s'assouplir avec le temps. Il suscitera d'inoubliables émotions que n'atteindra jamais un vin maigre et sévère dès sa naissance. Si un vin se présente avec une robe claire, un bouquet végétal herbacé, une structure peu chaleureuse caractérisée par un manque d'alcool, une acidité forte, il conservera alors tout au long de sa vie une âpreté causée par une récolte de mauvaise qualité (raisins non parvenus à leur maturité phénolique).

- Un vin est jugé **astringent** lorsqu'il se présente dur au palais. C'est un terme négatif appliqué aux millésimes trop sévères ou à des vins qui possèdent une forte quantité de tanins non parvenus à maturité. Dans ce dernier cas, ils libèrent des notes végétales et affichent des couleurs peu intenses.
- Le terme **anguleux** définit un vin qui se trouve encore dans une phase de jeunesse. Il possède une bouche très pointue. Les tanins ont ici besoin de quelques années de

vieillissement supplémentaires pour se fondre dans la structure générale.

• En équilibre avec un corps rendu chaleureux par l'alcool, fin, bien qu'exprimant encore une certaine jeunesse, les vins **tanniques** procurent un plaisir immédiat. Ce sont ces vins très bien vinifiés si populaires aujourd'hui.

• Les millésimes parvenus à maturité présentent des tanins **arrondis**. On peut citer deux cas. Le premier concerne des bouteilles arrivées à maturité, pourvues d'une sensation d'astringence révélant un vin élégant, mature et équilibré. Elles présentent à l'œil une robe couleur grenat et au nez des bouquets secondaires ou tertiaires ouverts et complexes. Le deuxième cas concerne des vins encore jeunes aux tanins gras obtenus par des raisins récoltés à leur parfaite maturité phénolique. Je me souviens ainsi d'un grand cru de Pauillac 1986, donc de vingt ans d'âge, a priori accompli, et dont les tanins étaient anguleux à l'ouverture. Il a fallu une journée pour qu'il révèle des tanins arrondis. Explication : ce millésime provenait d'une année de récolte bonne mais froide. Les tanins n'ont donc pas été gommés par l'alcool. L'inverse est vrai pour les millésimes chaleureux où l'alcool est nettement plus présent et la maturité phénolique accomplie.

• Un vin que l'on considère **mou** se distingue par des tanins à peine perceptibles. Il témoigne d'un âge trop avancé. L'alcool est le seul protagoniste.

Sapidité et minéralité.

La sapidité, liée à l'influence maritime, et la minéralité, liée au terroir et/ou à la nature du cépage, témoignent toutes les deux de la quantité de sels minéraux présents dans le vin. Cette caractéristique concerne avant tout les vins blancs.

La sapidité et la minéralité forment elles aussi la colonne vertébrale, la linéarité et la longévité du vin. Pour les identifier, le dégustateur peut, au choix, se rappeler l'odeur libérée par le frottement de deux pierres, le parfum dégagé par les régions volcaniques, certaines eaux de table ou encore l'odeur de la peau salée par l'eau de mer.

Ainsi la sapidité-minéralité n'est-elle pas une sensation dominante, mais plutôt une perception discrète dans les premiers instants de la dégustation, qui s'accentue en fin de bouche. À la différence de l'acidité qui diminue avec le temps, elle s'amplifie lors du vieillissement et parvient à dominer la structure et le bouquet.

Je propose l'échelle suivante : **très sapide** et **très minéral**, **sapide** et **minéral**, **légèrement sapide** et **légèrement minéral**. Cette échelle n'indique pas forcément une qualité plus ou moins bonne. Mais elle réjouira les amoureux du vin qui cherchent avant tout cette présence, en particulier sur les grands terroirs.

Mais, ici encore, attention aux idées reçues. J'ai en mémoire un vin blanc exceptionnel du nord de la Corse, produit à Calvi sur un terroir granitique, à trois cents mètres au-dessus du niveau de la mer, d'une subtilité extrême grâce à sa minéralité, en dépit d'une cave mal climatisée notamment lors des vendanges.

richesse et à la noblesse d'un terroir. Dans l'infinité des vins du monde, on en trouve beaucoup de plaisants. De forte intensité, ils sont immédiats et faciles à comprendre. Plus rares, en revanche, sont les vins complexes présentant à la fois discrétion initiale et longue durée. Ces caractéristiques révèlent un grand terroir. Il faut se montrer patient avec de tels vins. Plus on sera capable d'attendre leur maturité, plus s'imposeront des souvenirs uniques.

En règle générale, lorsque l'intensité et la persistance s'affirment en équilibre, le dégustateur est en présence d'un vin prêt à boire et possédant une valeur de persistance bien supérieure à un vin jeune, dont seul l'impact est important.

Ainsi les valeurs de persistance et d'intensité ne se complètent pas nécessairement. Un vin d'excellente intensité gustative n'est pas nécessairement un vin de longue persistance. De même qu'un vin de longue durée en bouche n'est pas synonyme de grande intensité. Une shiraz de deux années de la Barossa Valley en Australie est, par exemple, plus intense et moins persistante qu'une même shiraz âgée de dix années.

Longue, **bonne**, **discrète**, **courte** et **insuffisante** : c'est ainsi que je classe la persistance sur une échelle d'importance décroissante, de la plus positive à la plus négative. Le seuil de qualité acceptable correspond à la valeur « discrète ». Pour conclure : un défaut de persistance n'est jamais comblé par le temps, tandis qu'un manque d'intensité peut se corriger par la décantation ou le repos en cave.

La qualité.

- On définit un vin de qualité **excellente** lorsque toutes les valeurs d'intensité, de persistance, de corps, d'équilibre et d'élevage sont optimales.
- Une qualité **raffinée** situe un vin à un degré remarquable de subtilité, d'élégance, et de discrétion.
- Une qualité **bonne** se dit d'un vin facile à comprendre, sans prétention de vieillissement, mais tout de même agréable à boire.
- Une qualité **médiocre** précède le purgatoire et décrit un vin présentant une fausse note – tanins trop secs en fin de bouche, par exemple, acidité trop importante, ou utilisation trop exagérée du bois.

• Une qualité **mauvaise** marque les productions vulgaires qui cumulent les handicaps : présence excessive d'anhydrite de carbone, d'acidité volatile, ou encore d'oxydation et de réduction, etc. Ce sont les gros rouges qui tachent, les blancs qui brûlent, les rosés qui assomment.

On ne peut conclure cette évocation de la qualité sans prendre en compte une donnée fondamentale : le prix. Il existe un grand nombre de vins au rapport qualité-prix remarquable. L'amateur les découvre avec plaisir en voyageant. En ce qui concerne les grands crus, le prix élevé d'un vin signe aussi bien sa rareté que son excellence. De véritables institutions, grâce à leur production de qualité constante, justifient ainsi des sommes parfois excessives. Attention cependant à ne pas se laisser prendre. Un prix élevé ne préjuge en rien de la qualité d'un vin. C'est un conseil pour débutant, mais répétons-le : le millésime est déterminant. Il est indispensable de connaître les bonnes et les mauvaises années de production pour ne pas tomber dans l'erreur de payer trop cher un grand nom qui n'offre pas la qualité tant espérée. Chacun a vécu cette malheureuse expérience.

Nous arrivons à la fin de notre dégustation, parachevée par les paramètres de fin de bouche, harmonie, état évolutif. Les derniers mots.

L'ÉVALUATION FINALE

La fin de bouche.

Les esprits savants parlent de rétro-olfaction pour exprimer ce processus inverse de la respiration, qui consiste à expulser l'oxygène par le nez. Avec cette technique, les arômes restent comme fixés en une sorte de « rétro-goût ». Préférons le terme de fin de bouche, plus imagé, que j'aime à présenter comme les derniers mots susurrés par le vin avant de partir, quelque chose comme le bouquet final d'un feu d'artifice où s'entremêlent des arômes fruités de mûres sauvages, de cassis et de prune, de senteurs boisées, animales, torréfiées ou épicées, comme le clou de girofle et le poivre…

Les vins prennent toute leur dimension à la déglutition. S'ils s'ouvrent à cet instant, emplissant la bouche et l'arrière-bouche de leur opulence, si les flaveurs persistent, le dégustateur a sans aucun doute affaire à un « grand ».

Évidemment ce n'est pas toujours le cas et on ne s'étonnera pas qu'une foule d'adjectifs définissent cette étape de la dégustation :
• Une fin de bouche **nette** provoque plaisir et précision.
• Une fin de bouche **astringente**, déclenchée par les tanins, apporte une sensation d'amertume.
• Une fin de bouche **chaude** laisse une sensation de chaleur provoquée par l'alcool.

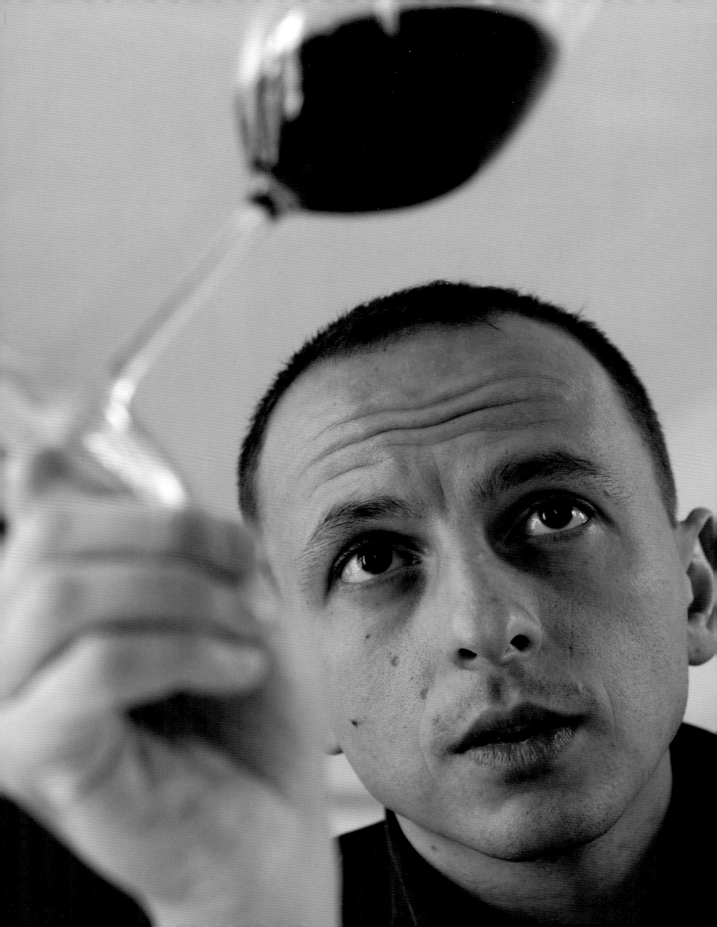

On dira encore :
- **Équilibrée :** pour un vin parfait.
- **Minérale et sapide :** pour les grands terroirs.
- **Veloutée :** pour les vins accomplis.
- **Longue :** pour les vins qui expriment persistance et complexité.
- **Évoluée :** pour tous ceux qui ont été vieillis.
- **Fraîche :** pour un vin dont la vivacité perdure.
- **Douce :** lorsque les sucres résiduels dominent.
- **Verte :** dans le cas d'une trop forte acidité.
- **Courte :** pour les vins trop simples.
- **Amère :** pour une utilisation excessive de bois.

Puis vient le temps de déposer le verre sur la table afin de méditer quelques minutes... Est-ce la fin de la dégustation ? Pas tout à fait. Nous ne sommes plus dans l'action, mais dans ce très court instant où personne ne bouge, qui succède à un point gagnant. D'autres ont parlé du silence après un air de Mozart.

L'harmonie.

Après la fin de bouche, il faut juger de l'harmonie d'un vin, et prendre en considération le résultat des trois phases d'analyse en tentant d'établir une suite logique, un lien, entre les examens visuel, olfactif et gustatif.
- Un vin **harmonieux** recèle non seulement les parfaites qualités que l'on attend de lui, un schéma de dégustation logique et naturel, mais il possède aussi un paramètre finalement aléatoire : la dégustation correspond au meilleur moment de sa vie.
- Un vin de qualité optimale, mais qui mériterait encore une petite période de vieillissement, est considéré comme **assez harmonieux**. Il se peut aussi qu'il se trouve dans une phase acceptable de son évolution descendante.
- **Peu harmonieux**, en revanche, caractérise un vin qui présente des carences, notées au cours de l'analyse. Les dégustations visuelle, olfactive et gustative ne sont pas en écho les unes avec les autres.

L'état évolutif.

Juger de l'opportunité de boire un millésime, c'est-à-dire établir son état évolutif, est l'un des aspects les plus fascinants de la dégustation. Un vin est-il prêt à boire ? Est-il encore trop jeune ou déjà trop vieux ? …

Afin de renouveler en permanence la cave du George V, je suis confronté plusieurs fois par mois à cet instant émouvant qui consiste à déguster un vin encore en cours d'élevage.

EXEMPLE D'UNE FICHE DE DÉGUSTATION

NOM DU DOMAINE . . . **AALTO P.X**
A.O.C.-RÉGION . . . RIBERA DEL DUERO . . . . PAYS . . . . . ESPAGNE
CÉPAGE . . . . TEMPRANILLO . . . . MILLÉSIME . 2001 . . . .

L'ŒIL

ROBE . . . . POURPRE
REFLETS . . . . VIOLINES
LIMPIDITÉ . . . . LIMPIDE
MATIÈRE COLORANTE . . . . RICHE
FLUIDITÉ . . . . CONSISTANTE
EFFERVESCENCE . . . . AUCUNE

LE NEZ

1ER NEZ

ÉVOLUTION DU BOUQUET . . . . SECONDAIRE
INTENSITÉ . . . . FORTE
PERSISTANCE . . . . BONNE
MATURITÉ DU FRUIT . . . . MATURE
ÉLEVAGE EN BOIS . . . . ÉLÉGANT
QUALITÉ . . . . EXCELLENTE

2E NEZ

NATURE DU BOUQUET . . . . VINEUX-FRANC-FIDÈLE
FAMILLE D'ARÔMES . . . . FRUITS-ÉPICES-BOIS-FLEURS
PARFUMS . . . . MÛRES SAUVAGES-POIVRE NOIR-PRUNEAUX-CACAO
. . . . TOMATE SÉCHÉE-RÉGLISSE,VIOLETTE...

LA BOUCHE

PREMIERS INSTANTS

Souplesse		**Dureté**	
SUCRES	SECS	ACIDITÉ	LÉGER
ALCOOL	CHALEREUX	TANINS	TANNIQUE
POLYALCOOLS	RONDS	SAPIDITÉ-MINÉRALITÉ	LÉGÈREMENT

LE CŒUR DE LA BOUCHE

CORPS . . . . STRUCTURÉ
ÉQUILIBRE . . . . ÉQUILIBRÉ
INTENSITÉ . . . . FORTE
PERSISTANCE . . . . BONNE
QUALITÉ . . . . EXCELLENTE

ÉVALUATION FINALE

FIN DE BOUCHE . . . . ASTRINGENTE-CHALEUREUSE-TOASTÉE
HARMONIE . . . . ASSEZ HARMONIEUSE
ÉTAT ÉVOLUTIF . . . . JEUNE

SUGGESTIONS

TEMPÉRATURE IDÉALE DE SERVICE . . 16 °C
À DÉCANTER ? . . . . OUI
ACCORD METS ET VIN . . . . CUISSES DE CANARD CONFITES,
. . . . LENTILLES DU PUY AU LARD DE TOSCANE

CONCLUSION . . . .
C'est un vin d'excellence qui, dès les premiers instants, évoque toute sa jeunesse à travers ses reflets violines. Le bouquet encore marqué par l'élevage dévoile des notes intenses de fruits noirs tels la mûre sauvage, le pruneau, le pain grillé, la vanille et la réglisse noire. La bouche est ample, dense, caressante, et séduisante. Il est généreux, d'un corps soutenu, avec une forte présence de tanins gras et élégants qui vont s'arrondir avec le temps. C'est un vin de long vieillissement. Son profil est plein, très intense et sphérique. D'ici quelques années il offrira complexité et harmonie.

TEST DE DÉGUSTATION À REMPLIR

Nom du domaine . . . .
A.O.C.-Région . . . . Pays . . . .
Cépage . . . . Millésime . . . .

L'ŒIL
Robe . . . .
Reflets . . . .
Limpidité . . . .
Matière colorante . . . .
Fluidité . . . .
Effervescence . . . .

LE NEZ
1ER NEZ
Évolution du bouquet . . . .
Intensité . . . .
Persistance . . . .
Maturité du fruit . . . .
Élevage en bois . . . .
Qualité . . . .

2E NEZ
Nature du bouquet . . . .
Famille d'arômes . . . .
Parfums . . . .
. . . .

LA BOUCHE
PREMIERS INSTANTS
Souplesse   **Dureté**
Sucres . . . . Acidité . . . .
Alcool . . . . Tanins . . . .
Polyalcools . . . . Sapidité-Minéralité . . . .

LE CŒUR DE LA BOUCHE
Corps . . . .
Équilibre . . . .
Intensité . . . .
Persistance . . . .
Qualité . . . .

ÉVALUATION FINALE
Fin de bouche . . . .
Harmonie . . . .
État évolutif . . . .

SUGGESTIONS
Température idéale de service . . . .
À décanter ? . . . .
Accord mets et vin . . . .
. . . .
Conclusion . . . .
. . . .
. . . .
. . . .
. . . .
. . . .
. . . .

Les grands terroirs et vins du monde

LA FRANCE, LES GRANDS CRUS

À LA DÉCOUVERTE DES VINS DU MONDE

L'EUROPE

LES NOUVEAUX MONDES

LES INSOLITES

LA FRANCE, LES GRANDS CRUS

Un grand vin est le produit d'un grand terroir, c'est-à-dire de la combinaison parfaite entre l'environnement, le sol, l'exposition, le climat et la vigne. Le terroir est le ventre du vin, qui donne ses caractéristiques à chaque cru, produisant des vins bien spécifiques et identifiables.

Si la topographie et le climat jouent un rôle principal dans l'expression du terroir, c'est naturellement au vigneron d'en exalter les qualités. Il n'est pas de parcelle qui ne doive sa grandeur aux hommes. Ce sont eux qui, au fil du temps, de génération en génération, ont repéré la terre et l'ont délimitée pour offrir des vins typés. Si l'homme se montre incapable d'allier la nature du cépage à la spécificité de sa terre, il n'obtiendra jamais un grand vin. Ce rapport passionnel est finalement fragile. Que l'homme modifie son mariage avec son environnement, qu'il ne tire pas profit de l'expérience des vendanges passées, et la magie s'évanouit.

Le terroir est un régulateur naturel de la vigne. Il permet de limiter les dégâts d'une mauvaise année et donne des résultats extraordinaires lorsque les conditions idéales de production sont réunies. Un vin de terroir offre finesse, élégance et structure consistante. Dans sa jeunesse, il exprime un bouquet réservé et timide pour s'ouvrir à maturité avec un peu de garde, révélant un trésor de complexité et une importante amplitude de parfums, et il nous fait don de puissants souvenirs. Car la mémoire ne retient rien des vins dits « de soif » ou « body-buildés », qui ne saisissent le palais que quelques secondes, produits le plus souvent en plaine à partir de jeunes vignes trop soumises à l'extraction ou, pire, dominés par le bois...

La France est le coffre-fort à vin du monde, par sa situation et son savoir-faire, à la source de ses identités remarquables. Terroirs uniques, diversités des crus, des fruits et des sols – il est impossible de comparer entre eux une Vosne-Romanée et un Pommard

(Bourgogne), un Pomerol et un Saint-Émilion (Bordeaux), une Côte-Rôtie et un Hermitage (Vallée du Rhône), un Mesnil-sur-Oger et un Ambonnay (Champagne) un Clos Sainte-Hune et un Rangen de Thann (Alsace)… Des grands noms auxquels sont associés des trésors de savoir-faire, unis par l'excellence et pourtant incomparables.

Le vin ne coule pas de source, mais de la main de l'homme et de la terre de Dieu. Je laisse Dieu à ses silences, mais la parole du vigneron m'éclaire.

Le monde du vin est un monde d'écoute. Pour parler des vins français, afin de ne pas favoriser un producteur plutôt qu'un autre, j'en ai choisi trois qui règnent sur des domaines indiscutables, véritables cas d'école : **Aubert de Villaine,** propriétaire de la légendaire Romanée Conti (Bourgogne) ; **Jean-Claude Berrouet,** chef de cave de Pétrus, emblème de l'appellation Pomerol (Bordeaux) ; **et Didier Depond,** président de la maison Salon (Champagne).

Il peut sembler réducteur de choisir trois domaines, parmi les plus mythiques de France, dont la production est réservée à des consommateurs privilégiés. J'assume cette option pour deux raisons : la première est que je souhaite faire partager, sur le papier du moins, la dégustation de ces nectars qui ont valeur d'exemple et de rêve ; la seconde relève de la pédagogie et de la neutralité. La France est un pays doté de vins extraordinaires dont aucun dégustateur sérieux ne remet en cause la qualité. Déguster une bouteille de vin français, pour n'importe quel amateur au monde, est synonyme de diversité des crus (1er, 2e, 3e, 4e, 5e, bourgeois, grand, supérieur, appellations régionales, communales…). Aucun autre pays n'a aussi bien classé et analysé ses terroirs, parcelle après parcelle.

J'ai dégusté la **Romanée Conti** « à l'horizontale[1] », soit du même millésime 1996, six grands crus du domaine. Le fait remarquable est qu'un cépage unique – le pinot noir –, un même chef de cave, un même propriétaire et une même année peuvent produire des vins très différents selon la qualité du sol des différentes parcelles.

À l'inverse, en dégustant le **Pétrus** « à la verticale[2] », c'est-à-dire sur des millésimes des six dernières années, de 2003 à 1998, on découvre, toujours émerveillé, qu'avec un même encépagement (95% merlot, 5% cabernet franc), des raisins qui proviennent du même vignoble, avec le même chef de cave à la vinification, les années se suivent sans se ressembler à cause des variations climatiques.

En dernier lieu, j'ai choisi un champagne exemplaire parce qu'il se distingue dans le monde de la culture champenoise : le **S de Salon.** Un champagne est généralement produit à partir d'un assemblage de millésimes et de cépages (pinot noir, pinot meunier et chardonnay). À Mesnil-sur-Oger, S de Salon caracole en solitaire. Un seul millésime. Un seul cépage : le chardonnay. Un seul grand cru : le Mesnil-sur-Oger. Les successeurs d'Aimé Salon ne vinifient que les meilleures années. Et, cerise sur le gâteau, ces bouteilles peuvent êtres glorifiées sur le long terme. Celui-là, comme certains autres grands crus, peut se déguster au-delà d'un demi-siècle. J'ai ainsi effectué une dégustation verticale sur les années 1996, 1995, 1990, 1988, 1985, 1979, 1966, 1959 et 1943. Ainsi on pourra constater que, lorsqu'un champagne est grand, il n'est pas obligatoire de le boire jeune ou à l'apéritif.

---

1. Dégustation à l'horizontale : on teste plusieurs vins venant de crus ou de cépages différents, mais produits dans le même millésime, pour comprendre les différences générées par le terroir ou l'assemblage.

2. Dégustation à la verticale : on teste le même vin, mais de millésimes différents, du plus jeune au plus âgé, pour définir l'influence des éléments naturels extérieurs variables chaque année et aussi son évolution dans le temps.

Aubert de Villaine,
propriétaire du domaine de la Romanée Conti

Entretien avec
Aubert de Villaine

Enrico BERNARDO : *Votre domaine est décrit comme une mystérieuse bénédiction du ciel. Croyez-vous en sa protection ?*

Aubert DE VILLAINE : Je ne sais pas, mais j'ai eu le sentiment d'un vrai mystère dès ma première vendange. Ici, nous cueillons le plus tard possible car ce terroir conserve au vin sa fraîcheur tout en menant sa vigne à une maturité extrême. L'automne était bien avancé ce jour-là et, vers 10 heures du matin, j'ai observé de lourds nuages noirs qui venaient du sud. J'étais désespéré. Ils allaient apporter la pluie. Mais, par miracle, ces nuages se sont divisés, guidés par je ne sais quelle force, nous permettant de vendanger sans une goutte de pluie. Plus sérieusement, oui, nos terroirs sont spéciaux. En cas de grand froid, par exemple, le gel s'arrête toujours en lisière de la Romanée Conti. La nature a bien situé les choses. Mais c'est l'homme qui en a tiré le potentiel.

E. B. : *Les vignes de la Romanée Conti ont été arrachées en 1945 et le domaine n'a pas produit de millésime de 1946 à 1951. Cette interruption a-t-elle porté atteinte à la qualité du vin ?*

A. de V. : L'ancienne vigne Romanée Conti a été arrachée lorsque la lutte contre le phylloxéra est devenue désespérée. On a découvert alors, lors du défonçage, une couche de terre d'un mètre de profondeur composée de cèpes et de racines en décomposition. C'est dans ce « terreau » qu'ont plongé les racines de la jeune vigne. À la nouvelle vendange, en 1952, alors que la vigne n'avait que cinq ans, le vin s'est montré tout à fait du niveau des récoltes d'avant 1945. Comme si les racines avaient tiré leur gloire de cette couche de terre… Ce qui fait penser que l'important, pour une vigne, c'est davantage ce que les racines tirent du haut, que ce qu'elles tirent du bas. C'est ici que se niche le caractère de la vigne. Ainsi les Romanée Conti de 1952, 1953, 1954, 1955, 1956 ont donné des bouteilles tout à fait extraordinaires. Ce sont des millésimes encore vivants qui ont une tenue comparable à celle des vins encore plus vieux.

E. B. : *Les vins de la Romanée Conti ne sont-ils pas victimes de leur prestige et de leur rareté au sens où le dégustateur ne peut les goûter qu'avec un a priori favorable ?*

A. de V. : Le côté mythique d'un Romanée Conti est certainement gênant. On fait un vin pour qu'il soit bu et non pour qu'il devienne une marchandise sur laquelle on spécule dans l'idée de gagner de l'argent à terme. C'est très désagréable pour un producteur. Je ne veux surtout pas penser à cet aspect des choses car c'est pour moi un détournement.

E. B. : *Vous dites que le monde du vin a surtout changé depuis quinze ans. Quels sont ces bouleversements ?*

A. de V. : Le plus important, à l'évidence, c'est la perte de la suprématie du vin français. Nous sommes passés d'une suprématie absolue à une part finalement réduite du marché mondial. Il y aura des conséquences très lourdes… De mon côté, les changements me confortent dans l'idée qu'il faut aller encore plus loin dans notre identité en affirmant toujours notre philosophie d'excellence, de respect des sols et d'intervention humaine a minima afin de laisser parler le terroir.

E. B. : *En Bourgogne, vous êtes le seul domaine à ne proposer que des grands crus. Quelles sont vos surfaces ?*

A. de V. : La Romanée Conti s'étale exactement sur 1,804 hectare, La Tâche sur 6,06 hectares, le Richebourg sur 3,51 hectares, la Romanée Saint-Vivant sur 5,25 hectares, l'Échézeaux sur 4,50 hectares, le Grands-Échézeaux sur 3,50 hectares et le Montrachet sur 0,67 hectare.

E. B. : *Nous allons déguster le millésime 1996 de vos différents grands crus. Imaginez un dîner autour du domaine de la Romanée Conti. Quel serait l'ordre de service idéal ?*

A. de V. : Il faut faire attention car la Romanée Conti vient à vous par la finesse, l'élégance, la féminité et la séduction tandis que La Tâche se présente avec sa puissance. À mon sens, il faut donc respecter une hiérarchie qui se vérifie chaque année avec l'Échezeaux, le Grands-Échézeaux, la Romanée Saint-Vivant, le Richebourg, La Tâche, puis la Romanée Conti. Mais, croyez-moi, c'est assez rare de voir quelqu'un servir toute la gamme du domaine. Il peut cependant arriver que l'on serve des millésimes différents. Dans ce cas, je recommande de déguster les plus anciens au début du repas.

E. B. : *Quelles sont les caractéristiques du millésime 1996 ?*

A. de V. : Pour nous, les millésimes sont « faits » par le vent dominant. En 1996, il s'agissait du vent du nord. Il a soufflé pendant tout le mois de septembre, donnant des journées claires, et pas spécialement chaudes. Le raisin s'est concentré, produisant un vin de caractère très structuré. 1997 a été « fait » par le vent du sud. Il s'avère plus tendre. J'ai beaucoup d'espoir pour 1996 car le mythique 1966 était lui aussi un millésime très influencé par le vent du nord. Il s'est caché longtemps dans sa bouteille avant de ressortir d'une manière extraordinaire. Aujourd'hui, 1996 est encore un peu rebelle, pas tout à fait sorti de sa gangue, mais on aura quand même quelque chose d'intéressant. On touche ici au problème des bouteilles. Le vin déteste la bouteille. Il a l'habitude d'être en fût, de respirer, et tout à coup il se retrouve en prison… Il lui faut un certain temps pour comprendre. Il doit accepter cette condition. C'est pourquoi il est mécontent. Cela dure un certain temps. Puis il s'adapte. Je parle de manière imagée, mais je pense que c'est exactement ainsi que ça se passe. Il faut plusieurs années à un vin pour accepter cette contrainte. Alors il se met à évoluer, et accomplit de manière sereine son destin.

E. B. : *Vous êtes l'auteur d'un vin classé parmi les meilleurs du monde. Quels sont ceux que vous buvez à la maison tous les jours ?*

A. de V. : Il m'arrive de ne pas boire de vin du tout (*rires*). Parfois, on sent qu'il faut se reposer… Je suis aussi producteur de crus plus modestes que je bois régulièrement. Mais j'ai la chance de posséder chez moi beaucoup de vins qui m'ont été offerts. Je bois donc ceux d'autres régions, d'autres pays. Le domaine est réservé aux occasions. À chaque dégustation, c'est d'ailleurs une cérémonie.

Ci-dessus : cave de la Romanée Conti.

DÉGUSTATION HORIZONTALE
des vins du domaine de la Romanée Conti 1996

Échézeaux.

Dans ce millésime, ce grand cru exprime la légèreté et la facilité. Il est exubérant au premier abord. Son bouquet est caractérisé par des notes fruitées et florales, comme la framboise, la fraise et la rose. Son corps est subtil, d'une grande finesse, mais d'un profil intense, court en persistance. Cette bouteille est flatteuse, fleurie, mais sans grande longueur en bouche. Elle reflète bien son terroir, provenant d'un grand cru moins complexe que ses voisins mais donnant un plaisir immédiat. Élégante et subtile, elle est enfin aérienne et extravertie.

Grands-Échézeaux

Pourtant proches l'un de l'autre, Échézeaux et Grands-Échézeaux n'ont rien en commun. Le second est beaucoup plus fermé que le premier. Introverti, il exprime une personnalité timide. Le bouquet dévoile des parfums de fraises des bois, de noisettes fraîches, de tiges de fleurs mouillées. En bouche, il exprime beaucoup plus de profondeur que son voisin de parcelle. L'équilibre est subtil entre la rondeur et les tanins. C'est sans aucun doute un vin qui va se bonifier avec le temps en acquérant complexité et persistance. Si vous avez dans votre cave quelques bouteilles d'Échézeaux et de Grands-Échézeaux, je vous recommande de déguster, dans l'ordre, les premières puis les deuxièmes.

Romanée Saint-Vivant.

Le bouquet est bien plus difficile à cerner que ceux qu'offrent l'Échézeaux et le Grands-Échézeaux. Sa discrétion et sa jeunesse de millésime n'aident pas à la compréhension. Il me faut quelques minutes avant de percevoir des arômes de poivre noir, de terre mouillée, de bourgeon de cassis et de gelée de framboise. En bouche, je retrouve un vin jeune caractérisé par une grande élégance et une excellente fraîcheur. Le pinot noir fait bien écho au terroir. Il aura besoin de quelques années pour s'affirmer. De personnalité compliquée, il libère peu de son caractère lors de sa première vie. C'est un grand cru qui nous invite à la patience.

Richebourg.

Pas de doute avec ce vin : il affirme à lui seul la formidable capacité des terroirs bourguignons à se distinguer les uns des autres. Le Richebourg figure pour moi le grand cru dans toute son excellence. Il est très différent de ses voisins, beaucoup plus masculin, et de caractère marqué. En somme, il joue un peu le rôle du mousquetaire dans la défense de cette perle rare qu'est la Romanée Conti. Doté d'une force certaine, son bouquet évoque les notes de cuir, de géranium, de pain grillé, de cerise noire, et de cèpes frais. La bouche est ample, le corps puissant et la colonne vertébrale droite, exprimant l'équilibre entre chaleur et tanins. En résumé une personnalité héroïque qui va s'arrondir et s'épanouir en vieillissant.

La Tâche

C'est en dégustant des vins « à l'horizontale » que l'on mesure combien il est important de donner du temps au temps pour les parcelles produisant des vins complexes. C'est exactement la sensation que j'ai éprouvée en dégustant la Romanée Conti et La Tâche. Quels grands vins ! Que d'émotions ! Et que de recueillement en songeant au magnum que j'ai dans ma cave, et que j'apprécierai comme il le mérite, dans trente ans.

Le bouquet de La Tâche dévoile des arômes de groseilles, de violettes, de bois de cèdre et de mûres sauvages. Son corps est très profond, très élégant et très persistant. La bouche évoque encore une certaine dureté, enveloppée cependant par le gras généreux du vin. Persistance et intensité sont des valeurs remarquables, tout en préservant une extraordinaire finesse et une grande discrétion.

Romanée Conti.

Seulement six mille bouteilles par an ! Avec ce seul chiffre le lecteur peut mesurer le privilège de pouvoir la déguster. Il est souvent dit dans l'univers du vin que, lorsque le chanceux parvient au sommet, à l'extraordinaire, il atteint l'incomparable. J'en ai bien la confirmation ! Malgré l'excellente qualité des cinq grands crus précédents, le verre de Romanée Conti m'a transporté dans un autre monde. Son bouquet est attirant dès les premières secondes. Il livre instantanément la fraîcheur d'un fruit rouge acidulé, des parfums de bâton de réglisse, d'humus et d'herbe fraîchement coupée. En bouche, la rencontre est resserrée, mais très intrigante dans son mélange de subtilité et de profondeur. Les tanins sont fins et d'un soyeux remarquable. Le millésime 1996 confirme la classe naturelle et la beauté de ce terroir unique. Un souvenir inoubliable…

ROMANÉE-ST-VIVANT

RICHEBOURG

LA TÂCHE

ROMANÉE-CONTI

ÉCHÉZEAUX

Romanée Conti 1966

Après cet ensemble de dégustations horizontales 1996 des vins du domaine de la Romanée Conti, j'ai eu la tentation d'apprécier l'évolution de ce vin mythique vingt ans plus tard

L'apothéose ! Cette horizontale est restée dans ma mémoire longtemps après ma visite en Bourgogne. Un peu hanté, mon esprit a longtemps susurré un refrain diabolique : « Dans ta cave, Enrico, repose doucement une Romanée Conti 1966. » Était-il temps de la savourer ?

J'ai craqué. Je l'ai portée à température de service, je l'ai débouchée, j'ai tourné autour pendant près de deux heures… Et le rêve est devenu réalité : servir l'un des plus grands vins mythiques au monde, dans la splendeur de sa trente-neuvième année. La robe, très limpide et très vive, s'est présentée tuilée avec des reflets légèrement orangés. Le bouquet a diffusé une très large quantité de parfums aux nuances de cèpes frais, de vieille cave, de confiture de groseilles, et encore de poivre noir, de cuir et de gibier. Quand j'ai porté le vin en bouche, enfin, mon esprit s'est évadé dans un carrousel de sensualité, de légèreté, d'élégance, de subtilité, de maturité et d'harmonie. Magie d'une des plus belles dégustations qu'il m'ait été donné d'apprécier !

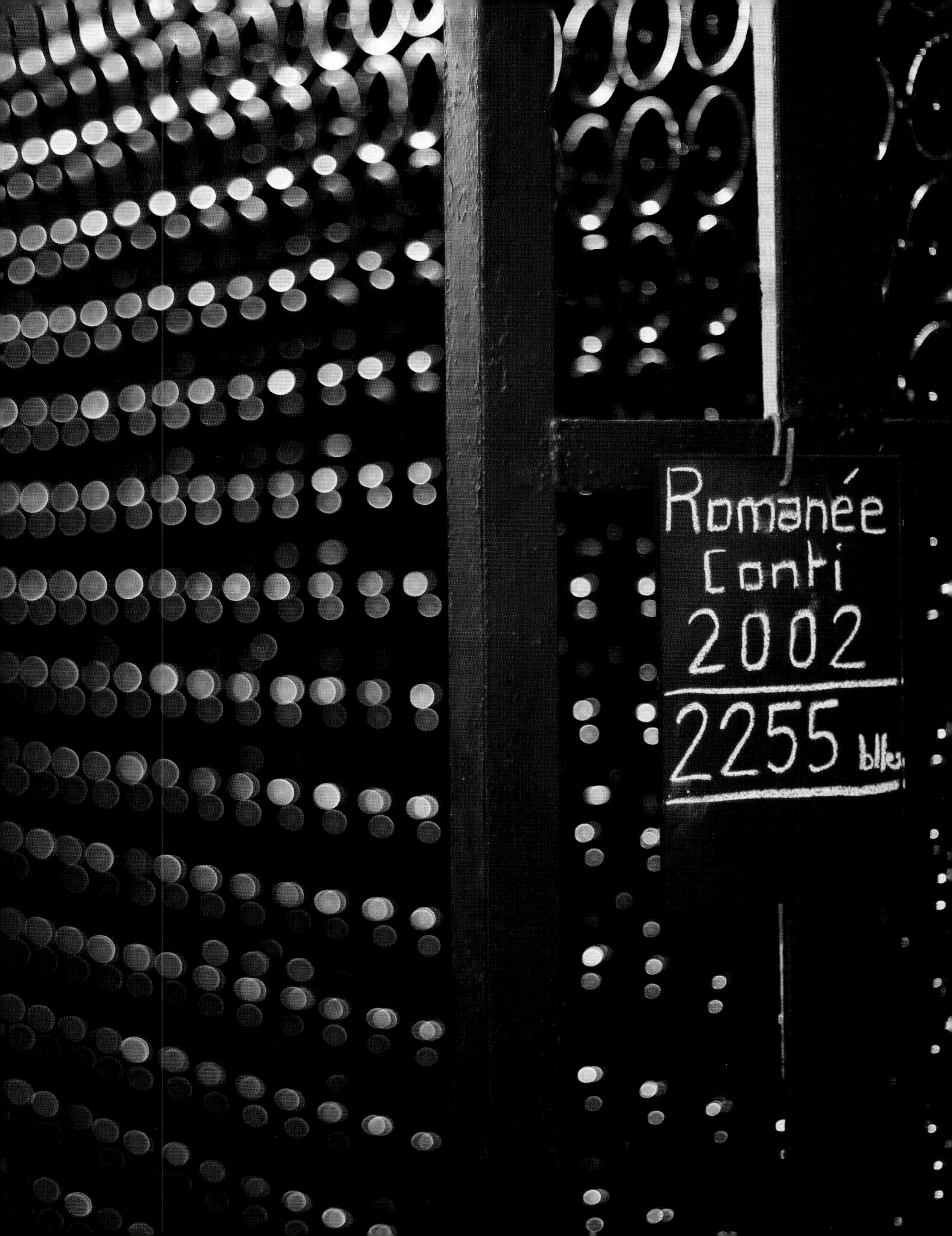
Romanée
Conti
2002
2255 btles

Entretien avec Jean-Claude Berrouet

Jean-Claude Berrouet,
chef de cave de Pétrus

Enrico Bernardo: *Quelle est votre définition du terroir?*

Jean-Claude Berrouet: Il y a plusieurs définitions. Au XIIIᵉ siècle, c'est la contraction du mot territoire. Au XVIᵉ siècle, c'est une fonction, avec la terminaison *oire*, qui signifie, simplement, la terre que l'on cultive. Au XVIIᵉ siècle, avec les travaux d'Olivier de Serres, apparaît la notion d'interaction entre un climat, une plante et un sol. C'est la définition d'aujourd'hui. Le vin a cette capacité miraculeuse, alors qu'il se trouve prisonnier d'une bouteille pendant des années, ou des décennies, de raconter l'histoire d'un lieu à travers, précisément, son terroir.

E. B.: *Quelles sont les particularités du Pétrus?*

J.-C. B.: Sa situation sur la rive droite de la Dordogne le place à contre-courant de l'histoire viticole du Bordelais. Les XVIIIᵉ et XIXᵉ siècles privilégiaient la rive gauche, avec les graves et les médocs. On négligeait alors le terroir de Pomerol dont la partie principale est un plateau composé de graves argileuses qui limitent la vigueur du pied de vigne et favorisent les racines de surface. Pétrus, à partir des années cinquante, a apporté un démenti de taille. Son sous-sol contenant la fameuse « crasse de fer » donne au vin vieillissant un arôme de truffe. La rencontre de deux argiles, sur une sorte de mamelon, a le pouvoir d'éliminer l'eau en excès et d'offrir des tanins enrobés. Ce phéno-

mène définit un grand terroir : un sol, un site privilégié, capable de corriger les excès climatiques, qu'il s'agisse d'une sécheresse ou d'un été pluvieux. Le merlot est sublimé par ce site argileux. Ce merlot, dont on disait au XVIIIᵉ siècle qu'il donnait un vin peu structuré, en particulier sur l'équilibre des tanins, acquiert ici des vertus de longévité et l'architecture classique d'un grand vin.

E. B.: *Mais comment ce cépage a-t-il été choisi? Est-ce un hasard?*

J.-C. B.: On sait aujourd'hui adapter les variétés aux différents sites viticoles grâce à des perfectionnements scientifiques. Les anciens ne disposaient pas de ces informations. La culture du merlot s'est développée il y a cent vingt ans avec le greffage. La capacité empirique des anciens à trouver les solutions qualitatives était extraordinaire. Ils avaient pour eux le temps et le sens de l'observation. Si l'encépagement actuel de Pétrus a été choisi il y a cent vingt ans, c'est sans doute le résultat d'une conviction : le cépage choisi avait la capacité d'exprimer au mieux les qualités du vignoble.

E. B.: *C'est-à-dire qu'un terroir est le fruit d'un mariage entre le cépage, une terre au sens large, et son histoire. Un terroir n'existe pas sans l'exemple du passé.*

J.-C. B.: Oui, tout l'art d'un bon viticulteur, c'est de procéder à un choix judicieux dans la répartition des cépages. Ici, cela fait deux mille ans que l'on cultive de la vigne. Nous bénéficions de l'enseignement du temps. Avant la crise du phylloxéra, si vous saviez le nombre de variétés utilisées pour les vins de Bordeaux... On en comptait des dizaines et des dizaines... Après le phylloxéra, c'est une nouvelle viticulture, sélective, qui est apparue.

E. B. : *Pour bien comprendre ce choix pouvez-vous nous dire comment se comporterait, sur ce terroir, le cabernet sauvignon ?*

J.-C. B. : L'argile est une terre froide. Sur ce sol, le cabernet sauvignon retrouverait ses caractéristiques sauvages (étymologie de sauvignon), perdant les attraits nobles qu'il développe sur un sol plus chaud comme celui des Graves. Ils n'auraient donc pas la délicatesse, cette expression fine et douce que donne ici le merlot. Pour créer un site viticole, il faut parfaitement prendre la mesure des éléments. J'ai développé d'autres vignes en Californie, dans la Napa Valley, sous un climat de type méditerranéen. À notre arrivée, nous avions l'intention de donner une chance au merlot. Nous sommes sur des sédiments volcaniques et, après vingt ans, nous commençons à avoir une idée du cépage adapté,

des densités de plantation et de la conduite de la vigne. Et pour cela nous avons choisi le cabernet sauvignon.

E. B. : *Il est reconnu que les vins complexes de grands terroirs sont des vins de longue vie. Plus de quarante années d'expérience à Pétrus confirment cette observation ?*

J.-C. B. : Première remarque. Débutant, j'étais convaincu que les vins de vieillissement ne pouvaient provenir que du cabernet sauvignon. Lors de mes dégustations à l'aveugle, j'attribuais les vins les moins évolués à ce cépage. C'était même un principe. De belles surprises m'ont prouvé que le merlot, sur nos terres argi-

leuses, possède la même capacité de vieillissement. Maintenant, je peux faire des comparaisons sérieuses entre les millésimes. Les années phares sont 1953, 1955, 1959, bien entendu le grand 1961, le millésime magique 1947, et 1949 qui est encore d'une jeunesse exceptionnelle. Il conserve un potentiel, une densité, une profondeur d'un grand classicisme capable de passer le temps, de conserver vertus et complexité aromatique.

E. B. : *Parmi les millésimes que vous avez vinifiés, comment se présentent ceux qui ont le plus gros potentiel ?*

J.-C. B. : Il y a divers cas de figure. Le vin c'est tout, sauf une répétition. On peut faire des cousinages pour définir des produits, mais il n'y a pas deux millésimes qui se ressemblent. L'idée reçue est la suivante : les grandes cuvées de vieillissement naissent austères, fermées, provoquant peu d'agréments dans leur jeunesse. Mais, là encore, il y a tous les cas possibles. Mon premier millésime date de 1964. Celui de 1971 est le plus aérien, le plus fondu, le plus crémeux qui soit. Bu dans la barrique, ou le lendemain de la mise en bouteille, il était déjà bon, comme par magie ! Bien d'autres sont nés austères comme les 1966, 1988, 1985. Les 1970, 1989 et 1995 ont été prêts à boire de manière précoce et présentent un beau potentiel de vieillissement. À l'inverse, des millésimes comme celui de 1993 n'ont pas de grand potentiel bien qu'à la naissance ils se soient présentés avec un charme fou. Le 1982, qui a été porté aux nues, comme le 1971 sont bons à boire à chaque instant de leur vie. J'ai gardé pour la fin le millésime le plus pédagogique, le 1975, dont les experts prétendaient à la naissance

qu'il était un «grand». Il a confirmé mes concepts de vinification car il peut décevoir aujourd'hui. J'avais raté le 1974 en pratiquant des extractions très prétentieuses, car excessives, pour reconstruire le vin. J'ai pris le contre-pied en faisant des cuvaisons courtes avec très peu d'extraction. C'était une année froide et sèche qui a donné une petite récolte avec des baies de raisin à la peau épaisse. Grâce à une vinification douce, nous avons obtenu des vins harmonieux et charmeurs. Les vins de Bordeaux vieillissent car ils sont tanniques, mais ce ne sont pas toujours les plus riches en tanins qui évoluent le mieux. C'est souvent le contraire : un vin qui naît harmonieux, équilibré et fin, il le reste toute sa vie. Comme nous, les hommes ! Les tares de naissance, nous les conservons durant notre existence.

E. B. : *Alors, au fond, le plus important, est-ce le terroir ou le travail de l'homme ?*

J.-C. B. : C'est la question fondamentale. Comme si vous demandiez à un chef d'orchestre qui joue Schubert : est-il plus important que la musique du compositeur s'exprime ou est-ce à vous, chef d'orchestre prétentieux, de donner une certaine originalité à l'œuvre du compositeur ? Je crois qu'il faut être un chef d'orchestre modeste. Pétrus existait avant moi et existera après moi. La vertu d'un vin de ce niveau-là, c'est d'exprimer toutes ses caractéristiques, son originalité de sol et les circonstances climatiques. La typicité doit prendre le dessus. On doit la respecter. Encore une fois, c'est le merveilleux d'un vin : se faire l'interprète d'un sol et d'un climat. Je ne résiste pas à un petit rappel sur la notion de millésime en Gironde. C'est à partir de 1975 que nos vins de Bordeaux sont mis en bouteille tous les ans. Pour le Pétrus, les mises en bouteille régulières se font depuis 1945, date à partir de laquelle nous racontons l'histoire climatique de ce cru.

notes exprimant la maturité, comme la myrtille, le beurre. On retrouve aussi les traces d'une climatologie fraîche avec des notes de framboise et de rose. Il est équilibré en bouche avec une structure harmonieuse entre la souplesse, la légèreté et les tanins. Je dessinerais une sphère pour illustrer ce millésime. Tous les ingrédients qui composent un grand vin sont regroupés et réunis ici. Déjà, on peut être certain de son excellente évolution dans le temps.

Pétrus 2000.

Moins favorable a priori que le Pétrus 2001 béni des dieux, ce millésime réserve bien des surprises. Dès la première observation, je remarque une robe concentrée qui se définit par une matière colorante pleine aux reflets encore pourpres. Le bouquet, fermé, d'une petite intensité, laisse apparaître des parfums de fruits mûrs comme la cerise ou la mirabelle. Il exprime une certaine profondeur avec des notes de réglisse, de cacao et d'épices noires fraîches. En bouche, il est passionnel et charnel. Il libère doucement son corps et sa plénitude, tout en préservant un équilibre entre la force et l'élégance. Il est profond, crémeux, persistant et destiné à un long vieillissement…

Pétrus 1999

Tantôt, chaudes, tantôt froides, les journées de cet été 1999 ont entravé la maturité du raisin. Mais avec des récoltes précoces, le bilan climatique s'est finalement avéré bon. De couleur rubis, avec une petite note d'évolution, le bouquet est d'une légère intensité. Un peu fermé, il dissimule ses parfums, rendant l'appréciation un peu difficile. Mais c'est après tout l'apanage des grands vins que de se resserrer, de se brouiller, à une période de leur vie. Dans cette complexité, je relève néanmoins des notes d'infusion de thym et de tilleul enrichies par un fruité évolué rappelant la gelée de groseille. En bouche, il est sévère avec des tanins plus présents en final. C'est la confirmation d'une période difficile dans la vie de ce millésime. Il lui faut du temps, un peu comme pour un adolescent.

Pétrus 1998

Jean-Claude Berrouet assure que 1998 est un millésime idéal pour le merlot avec un été excellent et une saison pluvieuse après la récolte. La vigne n'a, en tout cas, ni souffert de sécheresse, ni d'excès de pluie. La robe est profonde, riche d'un ton rubis bien loin de son évolution. Le bouquet est complexe. Il chemine entre la jeunesse et l'adolescence, exprimant à la fois le fruit noir de la mûre, l'humus, la terre mouillée, les cèpes frais, ou encore le bois de cèdre. La bouche a de l'élégance, par des tanins proprement inoubliables offrant un profil rond et très vivant. La fin de bouche rappelle encore la jeunesse avec des parfums de myrtilles et de confiture de cerises noires. Ce millésime illustre parfaitement le potentiel d'un terroir quand celui-ci réunit toutes les conditions pour s'épanouir. Un grand moment dont l'apothéose pourrait se situer dans une quinzaine d'années si l'on en juge par la dégustation d'un véritable mythe, le Pétrus 1982.

Pétrus 1982.

Dès mon retour à Paris j'ai ouvert ce millésime mythique. La robe est magnifique, grenat, aux reflets tuilés. Aux premiers instants, le bouquet se révèle de forte intensité, dévoilant une complexité d'arômes secondaires. Rapidement, les flaveurs de truffe noire, de tabac et d'argile mouillée montent au nez. Elles sont escortées de notes de confiture de mûres sauvages et de fleurs séchées comme la rose. Quelle délicatesse ! En bouche, je savoure un vin caressant encore dans une phase croissante avant d'atteindre son apogée. Les tanins sont fondus dans la structure. Le gras du vin renforce le profil sphérique et évoque la girolle et les pétales de rose. La fraîcheur du final renforce l'équilibre. Les minutes passent… Depuis une demi-heure, je suis béat d'admiration devant le caractère de ce millésime. L'élégance est époustouflante. L'image qui me vient à l'esprit ? Celle d'un foulard de soie s'envolant dans les airs et bercé par les vents.

Comment résister aux exhortations de Jean-Claude Berrouet ?

Didier Depond,
président de la maison Salon

Entretien avec Didier Depond

Enrico Bernardo : *D'où vient cette réputation de vin noble chargé d'une grande histoire ?*

Didier Depond : S de Salon, c'est d'abord l'intuition géniale d'Aimé Salon, un homme qui a décidé un jour d'aller à l'encontre de l'art champenois, technique qui consiste à assembler les crus, les années et les cépages. À l'opposé de cette pratique, il a produit du champagne à partir d'un seul cépage, le chardonnay (il est donc l'inventeur du blanc de blancs), d'un seul village (Mesnil-sur-Oger), uniquement sur de bonnes années, en respectant – dernier point de la charte – un délai de mise en cave de dix années (en moyenne) avant la mise sur le marché. M. Salon aimait les vieux vins et un bon connaisseur lui avait assuré que le chardonnay pouvait vieillir. Le premier millésime, dont il ne reste aucune trace, date de 1905. L'idée du père fondateur a survécu jusqu'à nous.

E. B. : *Comment définir le terroir du grand cru Mesnil-sur-Oger ?*

D. D. : Le Mesnil est avant tout un terroir acide et humide. Nous avons des sources autour de nous qui garantissent une forte humidité. Notre sous-sol est constitué de véritables falaises de craie, qui plongent jusqu'à cinquante mètres de profondeur et emmagasinent les eaux de pluie. Ce schéma géologique confère aux raisins une forte acidité même lors des étés secs. Les racines ont toujours des réserves d'eau. Jeunes, nos vins sont parfois impossibles à boire à cause de cette acidité qui leur garantit un bon vieillissement. Le minimum imposé pour commencer à boire notre vin est de dix années.

E. B. : *Vous avez choisi neuf millésimes pour cette dégustation. Pourquoi ceux-là en particulier ?*

D. D. : Précisons déjà que neuf millésimes représentent un quart de notre production.

En un siècle, S de Salon n'a « fait » que trente-sept millésimes. Notre moyenne tourne à quatre millésimes par décennie, notre choix de dégustation, aujourd'hui, a pour but de cheminer de millésime en millésime, sur une route qui va de 1996 à 1943. Chacun représente le meilleur de sa décennie. Un même fil conducteur lie toutes ces bouteilles : l'expression de notre terroir. Seules trois personnes ont vinifié S de Salon en un siècle. Les successions se sont déroulées dans un esprit de continuité. Notre style est comparable, quelle que soit l'époque, et nous avons gardé une volonté constante d'être le plus pur possible.

Chez nous, il n'y a pas de philosophie de vieillissement en barrique, mais la volonté d'une extraction avec l'expression la plus nette du terroir et du chardonnay.

E. B. : Les clients me demandent souvent si un champagne peut vraiment vieillir. En quoi se différencie votre production de celle des champagnes stockés dans de bonnes conditions mais déjà dégorgés ?

D.D. : Il est évident que, lorsque le champagne repose sur lie, il bénéficie d'un vieillissement très, très lent. Nous avons cet avantage sur les autres maisons de pouvoir consommer des bouteilles qui n'ont jamais bougé de nos caves, qui sont sur lie, et qui bénéficient donc d'un vieillissement très long. Nous pouvons considérer qu'une bouteille de 1943, par exemple, dégorgée[1] voilà cinquante ans, aurait en réalité un siècle et demi aujourd'hui ! Oui, une fois que le champagne est dégorgé, nous considérons que son vieillissement va trois fois plus vite que celui d'un champagne élevé sur lie. À 99 % cette bouteille de « cent cinquante » années ne serait pas bonne à boire. Un S de Salon de 1943 est, au contraire, dans sa plénitude. C'est bien la démonstration que le ferment toujours enfermé dans la bouteille permet un temps de vieillissement très long.

E. B. : Eh bien, parfait ! Commençons à déguster.

---

1. Dans l'élaboration des champagnes le dégorgement est l'étape qui consiste à éliminer le dépôt de levures qui se trouve accumulé dans le col de la bouteille.

Le dégorgement.

DÉGUSTATION VERTICALE
du champagne S de Salon, de la maison Salon

S de Salon 1996

C'est encore un « bébé » le jour de ma dégustation, en mars 2005. Il nécessitait encore une année d'affinement avant sa mise sur le marché début 2006. La robe est vivante, d'un jaune-vert intense, l'effervescence riche, aux bulles fines et nombreuses. Le bouquet, déjà expressif, est étonnant par son intensité. Je trouve des notes de fleurs blanches, de coriandre, de poire, de kiwi et de citron vert. La bouche est forte en fraîcheur et en minéralité avec un corps généreux. Je devine un potentiel de vieillissement très long. Son immaturité délivre suffisamment d'éléments pour affirmer que, dans trente ans, et peut-être plus, il sera encore au top.

S de Salon 1995

La robe jaune paille, brillante et vive, présente des tonalités encore vertes. Le bouquet exprime un juste compromis entre la jeunesse du millésime et la maturité du fruit. Je perçois des notes d'ananas frais, de pêche blanche, de jasmin et d'écorce de citron. C'est un bouquet délicat et subtil dont les valeurs d'intensité et de persistance sont discrètes. En bouche, il est équilibré, d'un corps léger. On pourrait le définir comme aérien, manifestant de la fraîcheur et de l'élégance. Je le trouve d'un caractère moins marqué que le 1996 mais cette discrétion pourrait s'avérer idéale lors de la saison estivale. On peut le servir, par exemple, en accompagnement d'un carpaccio de langoustines parfumé à la citronnelle.

S de Salon 1990

J'avoue ma surprise devant un champagne de quinze années affichant une robe jaune d'or marquée de reflets verts. Cette caractéristique laisse présager une longue vie. Le bouquet, immédiat, se présente avec une forte minéralité rappelant la craie et le silex. Le nez, très complexe, réunit à la fois des notes de jeunesse comme l'abricot frais et la cardamome, mais également des parfums de maturité de zestes d'oranges confites, de pain grillé et d'amande fraîche. En bouche, j'apprécie l'équilibre entre la générosité de la structure, la rondeur, et une fraîcheur qui perdure plusieurs secondes. Riche et profond, il possède une finale harmonieuse. C'est l'un de mes plus beaux souvenirs de dégustation de champagne. Et j'espère bien tenir cette bouteille entre mes mains dans vingt ans !

S de Salon 1988

C'est le premier millésime de cette dégustation qui présente un aspect accompli. Les nuances de sa robe sont déjà dorées. Le bouquet évoque les parfums de maturité : compote de coings, noisette, vanille, marguerite, enrichis par quelques notes de douceur proche du bonbon anglais. C'est le moment de déguster ! Il est là dans toute sa personnalité, sa plénitude, en rondeur, maturité, intensité et harmonie. En bouche, la minéralité est la signature du domaine S de Salon.

S de Salon 1985

La première approche est très attirante. Comme les précédents, ce millésime présente une effervescence magnifique, riche en bulles fines et persistantes. La robe, de couleur or, conserve encore des reflets légèrement verts. C'est incroyable ! À l'aveugle, il montre la typicité d'un blanc de blancs. Le bouquet exprime la finesse d'un chardonnay en train de parvenir à son apogée. Il dévoile des parfums de fleurs d'oranger, d'acacia, de compote de poires, de pierre mouillée, sans oublier cette odeur si particulière d'humidité de cave. En bouche, la structure est très subtile et d'une élégance extrême. Je ne résiste pas à une seconde dégustation pour retrouver la droiture et la précision d'un champagne dont on peut parier qu'il vivra longtemps.

S de Salon 1979

La couleur de sa robe est profonde, d'un or brillant. Le bouquet délivre une grande complexité en s'ouvrant aux parfums de cumin, de bois de cèdre, de bâton de réglisse, de menthe séchée et de pied de cèpe frais. En bouche, je suis surpris par son évolution tout en équilibre. Il offre l'ampleur d'un grand vin riche et délicat. Sa finale, comme vivante, s'accomplit sur des notes d'écorces de cédrat confit. Je recommande aux amateurs qui hésitent à déguster un vieux millésime de porter leur choix sur ce champagne.

S de Salon 1966

Je pensais avoir atteint les sommets lors des précédentes dégustations. Je suis encore un cran au-dessus avec cette œuvre parfaite. La robe s'affiche sur une tonalité or. Un bouquet explosif exhale des effluves minéraux mêlés à du pain d'épices, de l'abricot sec et des notes pointues qui rappellent le safran et la fumaison. En bouche, je ne me lasse pas de sa droiture, de sa noblesse et de sa rondeur équilibrées par quelques notes de champignons des bois. La persistance est incroyable. Tout en équilibre et en harmonie du début à la fin de la dégustation, ce champagne délicat et subtil signe la perfection absolue. Probablement l'un des meilleurs que j'aie jamais dégustés.

S de Salon 1959

Avec ce millésime, j'entre dans un autre univers. La robe présente des tonalités brillantes d'or vieilli, conservant une fine et longue cheminée de bulles. Le bouquet est empyreumatique. Généreux, très ouvert, il offre principalement des arômes de miel d'acacia et de tabac blond. Après quelques secondes il me procure encore du plaisir au travers de parfums comme la truffe noire et la pomme cuite au four. Quarante-six années se sont écoulées depuis sa naissance, mais il est toujours parfaitement équilibré. Son profil rond et très intense garde une certaine discrétion. Il est exemplaire de ces grands terroirs qui, malgré le temps et la typologie, produisent des vins harmonieux et élégants tout au long de leur longue vie.

S de Salon 1943

En pleine Seconde Guerre mondiale, ce millésime a été élaboré en majorité par des femmes. Aimé Salon, fondateur, décédait également cette année-là. Ce contexte me touche et je suis très ému que Didier Depond, au nom de Bernard de Nonancourt[1], ait songé à moi pour dégorger une bouteille si précieuse. Il n'en reste que six en cave. La robe est magnifique, toujours brillante, d'un vieil or très intense. Le bouquet est une pure merveille. Radieux, il s'exprime avec une belle complexité et une grande générosité. Je suis catapulté dans un monde de parfums d'évolution qui rappellent les fruits secs, la purée de marron, le caramel, le miel, l'infusion de verveine et les grains de café torréfiés.

En bouche, le plaisir est si intense que je décide de prendre mon temps. Je songe à l'histoire de ce vignoble. J'interpelle intérieurement ce 1943. Il me semble conscient de son caractère unique. Comme vivant, il se manifeste avec équilibre, légèreté et soyeux. C'est un rêve éveillé accompagné d'une musique de chambre en fond sonore. La fin de bouche est extraordinaire, entre le cèpe séché, qui évoque l'âge, et des notes de confiture d'oranges douces, qui traduisent une structure encore vive et résistante.

Je repose le verre et une conclusion générale s'impose à moi. Le mystère du vieillissement restera toujours opaque. Dégustant le 1943, je me suis interrogé sur les capacités de garde des millésimes le plus jeunes : 1988 était le plus mûr. A priori, je suppose qu'il ne gagnera pas en qualité. Et pourtant, comme les millésimes 1959 et 1943 étaient bien vivants ! Peut-être ai-je donc considéré 1988 à maturité en me précipitant un peu… Les millésimes de 1996 à 1985 sont parés de robes aux reflets encore verts. C'est seulement à partir du millésime 1979 que la couleur paille et or marque la différence. Les bouquets ont chacun leur identité propre. Les structures racontent, elles aussi, leur

---

1. Fondateur du groupe Laurent Perrier.

histoire. Cette troublante « verticale » confirme qu'un grand terroir a le pouvoir de faire vieillir des flacons en cave sans obéir à un schéma préétabli. Il m'a fallu plus de deux heures de concentration et plus encore de réflexion pour comprendre la beauté de ces grands vins.

CHAMPAGN 19

SALON

BLANC de BLANCS

Le Mesnil

PRODUCE OF FRANCE 12%

LE MESNIL S/OGER · FRANCE

SALON

l'histoire des grandes régions du monde, convaincu que le vin reflète les caractéristiques du pays qui l'a vu naître : le vin est son écho géographique, climatique et historique. En observant une production allemande on constate combien sa minéralité, sa fraîcheur, sa droiture et sa rigidité renvoient aux principaux traits de caractère de cette nation. Si l'on compare les domaines de deux pays aussi proches que l'Argentine et le Chili, on s'aperçoit que l'Argentine, peuplée d'immigrants italiens et espagnols, a longtemps cultivé sa vigne pour satisfaire sa demande intérieure. Les Italiens y ont importé la taille de la vigne à « pergola » tandis que les Espagnols y ont introduit leur technique à « goblet ». De son coté, le Chili a été influencé aussi par les Espagnols, ainsi que par les Allemands. Il a privilégié l'exportation et confié la qualité de la production à des experts pratiquant le système de taille « guyot » importé par les Français.

Au Japon, de vastes zones plantées de cabernet sauvignon, merlot et chardonnay produisent des vins rouges à la bordelaise et des vins blancs de style bourguignon. Les écoles gastronomiques occidentales et les connaissances viticoles y sont désormais une réalité qui définit et confirme un trait de ce pays : sa curiosité pour les nouveautés et les tendances. Son incroyable capacité à reproduire à l'identique les styles occidentaux, parfois en les améliorant.

La société néo-zélandaise, spontanée, enthousiaste et qui possède une puissante identité, produit des vins à son image, de caractère et de jeunesse. On cultive un sauvignon blanc différent de tous ceux qui existent ailleurs, travaillé sous le signe de l'authenticité et de l'énergie qui distinguent ce pays, plus aromatique, plus léger, plus frais. Les Néo-Zélandais affichent une autre particularité : l'utilisation inconditionnelle du *screw cap* (bouchons à vis) pour les bouteilles. Ces bouchons à vis font couler beaucoup d'encre dans les pays traditionnels de viticulture, mais ne suscitent aucune désapprobation dans ce pays neuf et libre de ses décisions, car il n'a guère de comptes à rendre à l'histoire. La Nouvelle-

A gauche un bouchon à vis (*screw cap*) ; *à droite*, un bouchon traditionnel en liè

Zélande est un pays dont la jeunesse impulse une impétuosité qui la rend capable de présenter au monde de l'œnologie ses propres idées et convictions. Sa consommation de vin est caractérisée par la curiosité et sa consommation intérieure est si forte que la production ne parvient pas à répondre à la demande mondiale. En Europe, et dans les régions où la coutume l'emporte sur les questions pratiques, la disparition des bouchons de liège est impensable. L'idée même de ne plus posséder un tire-bouchon à la maison attristerait les dégustateurs. Verra-t-on néanmoins un développement international du *screw cap* ?

Quant à la standardisation mondiale des goûts qui occupe tant de conversations de dîners en ville, nous assistons aujourd'hui à une vaste redistribution, mais il me semble que seuls les vins produits sous la contrainte de la quantité, et donc au détriment de la qualité, ont du souci à se faire. Ceux qui donnent du plaisir au dégustateur, et qui le font progresser, s'affirmeront toujours, précisément parce qu'ils témoignent d'un pays dans sa globalité (culture, histoire, caractéristiques climatiques et géographiques). Ainsi ne seront-ils jamais victimes de la standardisation.

Je me suis beaucoup interrogé pendant mes voyages, car le monde du vin réserve toujours des surprises. Les difficultés d'apprentissage tiennent à l'impossibilité de trouver certaines réponses. Il existe des vins si rares que même la richesse de notre vocabulaire bute sur leur définition. En quelque sorte, nos doutes ne peuvent être corrigés que par la dégustation. Que reste-t-il à faire ? Déguster, déguster encore, affiner son jugement, prendre des chemins de traverse. La standardisation n'est pas le seul mouvement – immobile – du monde. Il n'est pas vrai que les vins chiliens, sud-africains ou californiens se ressemblent tous. Je peux aller un peu plus loin en affirmant que les Européens eux-mêmes ne sont pas forcément perdants dans certains processus de standardisation – quand standardisation il y a. Certains, d'appellations inconnues, n'ont-ils pas copié le style américain très simplificateur qui consiste à mettre en valeur le nom d'un cépage pour que le consommateur s'y retrouve plus facilement ? L'introduction de cépages «internationaux» a permis d'améliorer la qualité d'assemblage de beaucoup de vins de pays.

Revenons sur cette fausse idée du «tous pareils» en observant la production australienne, que l'on associe trop souvent à la globalisation, sans savoir que ce gigantesque continent propose un éventail plus complexe. Associe-t-on les vins européens sous un même drapeau en plaçant côte à côte les productions grecque, allemande, portugaise, croate ?

J'ai découvert l'Australie il y a une quinzaine d'années lors d'un voyage virtuel dans le salon de notre maison. Ma grande sœur, Mary, de retour de ce pays, avait étendu sur le sol une immense carte géographique. Au milieu des nombreux cadeaux qu'elle nous desti-

nait, elle nous a raconté avec excitation son aventure, passant du nord au sud, de l'est à l'ouest, décrivant les forêts luxuriantes peuplées d'émeus, de dingos, et naturellement de kangourous. À l'entendre, les fleuves navigables et les grands canyons rejoignaient des déserts inconnus s'évanouissant à l'orée de la plus grande barrière de corail du monde. Mon esprit d'adolescent a gravé dans sa mémoire une image d'immensité, d'une formidable variété de paysages. Mais il m'a fallu patienter treize ans avant d'entreprendre le grand voyage. La réalité a supplanté mes visions imaginaires, même les plus grandioses. Mon palais a vite fait le tri entre les régions. Et quelle diversité, presque à l'infini!

Et que dire du Chili, cette terre qui s'étend du tropique du Capricorne jusqu'à l'Antarctique! Entre un vin produit dans la fraîche vallée de Casablanca, face au Pacifique, et un autre issu de la région très chaude et sèche de Colchagua, il y a de telles différences que le dégustateur qui agirait à l'aveugle pourrait penser que ces «cousins» sont nés sur deux continents différents. Lors de mes visites en cave, les conversations tournaient toujours autour des conditions climatiques. Les producteurs, très précis, évoquaient tous une amplitude thermique colossale (jusqu'à 15-20 °C), provoquée par l'air froid des Andes et l'influence des courants océaniques. Cette amplitude favorise la concentration aromatique des raisins. Des saisons bien marquées, caractérisées par de rares précipitations, permettent par ailleurs l'éclosion de fruits sains, protégés des éventuelles maladies et cueillis à maturité.

Dire que le climat et la géographie influencent les vins dans le monde est insuffisant: il faut y associer la complexité et la diversité des cépages dont nous savons maintenant qu'ils sont le grand défi du vigneron. L'Italie, par exemple, peut s'enorgueillir de plusieurs centaines de types de cépages. Plantés là depuis des siècles, ils s'adaptent au mieux à leur environnement pour le plus grand bonheur des dégustateurs. Le Piémont, avec ses multiples variétés de cépages rouges – nebbiolo, barbera, dolcetto, freisa, grignolino… –, confirme à lui seul l'extrême précision du choix, une foultitude de nuances sur le même kilomètre carré. En plaine, sur un sol fertile, un nebbiolo atteindra difficilement une maturité phénolique optimale. Mieux vaut planter à cet endroit du dolcetto. Le cycle de maturation du raisin, les multiples sortes de sol qui fournissent aux vignobles plus ou moins de végétation, les différents types d'expositions, toutes ces variantes permettent à un grand nombre de cépages d'exister sur une petite surface. Il ne suffit donc pas de mettre en avant seulement le climat, sans planter sur un bon terroir le juste cépage.

Ne négligeons pas le millésime. Prenons le Bassin méditerranéen, les années 2003 et 2004, et observons combien elles sont aux antipodes l'une de l'autre, provoquant des sensations diamétralement opposées. Rappelons-nous le nombre d'avaries subies par les producteurs en 2002 : pluies désastreuses, grêles, inondations, et vents capables de détruire des vignes entières (le Châteauneuf-du-Pape fut en partie déraciné). Les vins de cette année-là sont dilués, très légers, non matures, avec même la présence de notes végétales. Ceux de 2003, résultant d'une année si sèche que les raisins étaient quasiment déshydratés au moment des vendanges, sont très riches en alcool, avec des notes de confiture et de « sur-maturité ». Leur structure est lourde, manquant d'acidité et d'équilibre.

L'évolution des techniques de vinification distingue encore les divers pays producteurs de vin. D'immenses progrès ont été réalisés ces dix dernières années dans le vignoble hongrois, qui désormais a trouvé sa place sur le marché mondial, contrairement à la Bulgarie ; celle-ci, bien que dotée de bons terroirs et de bonnes vignes, ne s'est pas donné les moyens techniques d'améliorer la qualité de ses vins.

Il est important de noter que le progrès des sciences appliquées à l'œnologie rend possible le succès du vin dans des pays a priori étrangers à cette culture. L'exemple du Japon, où l'on déguste des vins d'une qualité surprenante, en est l'illustration la plus frappante.

Parmi les vignobles européens, la viticulture des Amériques, d'Afrique, d'Australie, de Nouvelle-Zélande et d'Asie, j'ai choisi vingt-six domaines qui me semblaient éclairants. Cette sélection couvre une gamme assez large de produits et confronte des qualités et des prix différents. S'il est évident que les conditions climatiques tempérées sont favorables au vin, j'ai également retenu quelques bouteilles étonnantes, sans notoriété mais de grande qualité. Preuves que les vignerons de la planète ont trouvé des méthodes de vinification qui leur permettent de s'adapter à des conditions extrêmes. Pour chaque dégustation, je suggère au lecteur, en conclusion, un mariage vin et mets, exercice auquel je me livre chaque soir en ma qualité de sommelier avec un petit bonheur, comme une fleur accrochée à la boutonnière.

Une attitude très répandue aujourd'hui consiste à préjuger des défauts d'un vin avant même de l'avoir dégusté. La rencontre avec un vin doit être placée sous le signe de la générosité. On se positionne d'abord comme auditeur, et seulement après comme critique. Ainsi, de même qu'un vin de très bonne qualité peut s'offrir à votre palais, une production plus élitiste peut décevoir. Je me souviens d'un de mes professeurs qui répétait : « Un grand millésime est exactement comme une chaîne, pas plus forte que son anneau le plus faible. »

L'EUROPE

Le pays de mes racines est probablement l'un des plus compliqués à cataloguer en raison de la diversité ampélographique et du nombre d'appellations présentes dans chaque région. On compte des centaines de cépages, de vins de table, d'IGT (Indicazione Geografica Tipica), équivalent de vins de pays, qui sont tous d'excellentes productions. Ces vingt dernières années, la qualité a énormément progressé, à tel point que l'Italie est devenue le premier exportateur au monde en direction des États-Unis.

Quelle différence entre les grands rouges piémontais, toscans ou encore du Veneto! Comparez-les à ceux des Pouilles ou de Sicile, si divers avec leurs multiples cépages autochtones comme le nebbiolo, le sangiovese, le corvina, et encore l'Aglianico del Vulture, le Sagrantino di Montefalco ou le lagrein du Haut-Adige. Les rouges ne doivent pas faire oublier la diversité et la qualité des vins blancs comme ceux du Frioul, du Haut-Adige, et de la côte méditerranéenne, les vieux marsalas ou tous les moelleux comme le passito.

J'ai retenu trois bouteilles qui, à mon avis, expriment une typicité forte et surtout un mariage intime entre le cépage, le sol et les traditions millénaires. Le nebbiolo, à Barbaresco comme à Barolo, donne le meilleur de lui-même. La topographie est tellement précise qu'elle rappelle celle de la Bourgogne avec des résultats différents selon les parcelles. Situation similaire pour le sangiovese à Chianti, à Brunello di Montalcino et à Vino Nobile di Montepulciano. Et dans la catégorie des IGT, porte-drapeau de la plupart des grands vins d'Italie, j'ai choisi un vin du Veneto obtenu à partir du cépage 100 % corvina, exprimant tout son fruit et son caractère gourmand.

DOCG Barbaresco Vigneto Starderi Vürsù La Spinetta, 2001

• La robe s'affirme par une couleur rouge rubis très intense aux reflets grenat. Cet aspect évolué, y compris dans son jeune âge, est une caractéristique typique du nebbiolo. Le bouquet, très fermé, est marqué par le bois. Il laisse deviner un grand potentiel, délivrant après quelques secondes toute l'élégance de ses parfums : notes de clous de girofle, de cuir, de terre mouillée, de pruneaux, de géranium. La bouche est puissante et très riche. Elle révèle avec force des tanins de jeunesse d'une excellente qualité qui vont sûrement s'affiner. La fin de bouche est chaleureuse et rappelle des parfums de truffes noires.
Accompagnement : L'idéal serait d'attendre dix années avant de le décanter, le servir à 18 °C, et le marier avec une tourte de gibier.

DOCG Chianti Classico Castello di Ama, 1997

• Il présente une robe légère, d'une couleur rouge rubis associée à des reflets grenat. La matière colorante, légère, laisse apparaître une faible transparence. Le bouquet est constitué d'arômes de types secondaires, très intenses et subtils. Il dévoile des notes de laurier, de cerise, d'infusion de thym et de garrigue. La bouche est délicate et caressante. D'un profil frais grâce à l'acidité, il est équilibré par des tanins accomplis. De qualité raffinée, il s'épanouit sur une longueur discrète. La fin de bouche, harmonieuse, est marquée par des notes de confitures de fruits rouges. *Accompagnement :* Je le décante deux heures avant le service et je suggère de le déguster à 16 °C en accord avec des pappardelle au ragoût de veau et cèpes sautés.

IGT Veronese La Poja Allegrini, 1999

• Il communique dès les premiers instants de la dégustation de la profondeur et de la jeu-

nesse au travers d'une robe pourpre aux reflets violines. Il est très limpide et riche d'une matière colorante concentrée qui ne laisse aucune place à la transparence. Son bouquet authentique est typique du cépage corvina. C'est d'ailleurs ce choix monogame qui l'empêche d'être classé dans l'appellation de Valpolicella qui réunit deux autres cépages : la rondinella et la molinara. Le nez détecte des notes d'épices comme le poivre noir, la coriandre et des fruits noirs tels la figue et le pruneau. La sauge et le boisé en se dévoilant apportent une note légèrement sauvage. La bouche possède du caractère, un équilibre parfait entre chaleur, tannicité et fraîcheur. La finale rappelle le jus de fruits rouges et la jeunesse.

Accompagnement : J'apprécie la vivacité de ce vin que je décante deux heures avant de le servir à 16 °C avec un pigeon farci et un risotto aux radis rouges de Trévise.

L'Espagne.

Ma première visite du vignoble espagnol date de 1998. Je préparais le concours du meilleur sommelier d'Europe et profitais d'un séjour chez ma sœur Mary, à Barcelone, pour visiter les terres catalanes. Je me souviens encore d'un guide acheté pour l'occasion. Il regroupait l'ensemble des grands domaines, dénombrait cinquante-deux dénominations – denominación de origen (équivalent des AOC) –, et laissait pressentir les grands bouleversements à venir. Les vins qui m'ont procuré du plaisir sont issus de cépages autochtones et de terroirs uniques. Impossible de décrire par le menu ce pays qui compte aujourd'hui plus de soixante appellations riches de vins exceptionnels.

J'ai ainsi choisi trois propriétés qui reflètent la qualité de leurs terroirs : Cirsion à Rioja, Vega Sicilia Unico à Ribera del Duero, Emilio Lustau Oloroso à Xérès. Ces trois dénominations sont caractéristiques. Riches d'un passé extraordinaire, les deux premières propriétés sont cultivées à partir du même cépage, le tempranillo, qu'il est intéressant de comparer sur deux terroirs : Ribera del Duero et Rioja. Quand je pense aux vins d'Espagne, je ne peux éviter de me rappeler des émotions vécues en Andalousie lors de dégustations de xérès. Celui-ci n'aurait jamais pu exister ailleurs que sur le sol d'Albariza avec un thermostat climatique réglé par la mer Méditerranée.

DOCa Rioja Cirsion Bodegas Roda, 2001

• Cette bouteille me rappelle mon voyage à travers les montagnes de la Sierra de Cantabria. J'avais été frappé par l'amplitude thermique entre le jour et la nuit. Les conditions climatiques donnent aux vignobles des raisins de bonne acidité à parfaite maturité. Dès mes premières dégustations, ce domaine m'a charmé par sa profondeur et sa richesse. Établi dans la Denominación de Origen y Calificada de Rioja, obtenue par le cépage tempranillo, le millésime 2001 se présente dans toute la jeunesse de sa robe pourpre aux reflets violines. Il est formé d'une matière colorante soutenue qui ne laisse aucune transparence. Cette tonalité impressionnante rend bien hommage à ce cépage. Le bouquet est encore légèrement marqué par l'élevage en bois neuf. Il exhale des arômes grillés, fumés, de cendre de bois. Le

charme d'un vin généreux apparaît au bout de quelques secondes. Des parfums de mûres, de cerises noires, de vanille et de tomates séchées me viennent à l'esprit. Les valeurs d'intensité et de persistance sont très brutes mais conservent une élégance naturelle. En bouche, le corps est riche, puissant, mais encore d'un équilibre imparfait car les tanins, le boisé et l'alcool ne se fondent pas les uns dans les autres. Sa profondeur et sa persistance sont incroyables, autant que la qualité des tanins. Je place beaucoup d'espoir dans son vieillissement. C'est une valeur sûre qu'il faut accueillir dans sa cave. Je l'imagine sans peine dans plus de dix ans. Au total, j'ai dégusté plusieurs millésimes et chaque fois les vieilles vignes de Cirsion donnaient un vin doté de tanins gras et élégants.

Accompagnement : Je recommande de décanter ce 2001 deux heures avant de le servir à 16 °C, en accompagnement d'une épaule de cochon fermier confite au four et de gnocchi au beurre, sauge et parmesan.

DO Ribera del Duero Vega Sicilia Unico, 1970

• Certainement l'un des plus grands vins du monde. D'expérience, j'ai constaté combien les millésimes de Vega Sicilia très âgés surprennent par leur fraîcheur. Le 1970 exprime à première vue une pleine maturité. La robe couleur de grenat affiche des reflets tuilés et préserve sa limpidité malgré son âge. Quelle complexité dans le bouquet ! Il réunit l'intensité, la persistance et la qualité. Initialement, je perçois une petite note de bois. Vite égarée, elle est recouverte d'une senteur de fruit mûr. Quelques secondes s'écoulent et s'expriment des arômes de pétales de roses séchés, de pruneaux cuits, de cuir, de poivre noir, de poivrons confits et de champignons des bois. La bouche est séduisante, veloutée, extrêmement soyeuse avec des tanins accomplis. J'ai dégusté un Vega Sicilia Unico 1970 il y a dix ans et, face à sa jeunesse, je pariais sur un vieillissement de quinze années supplémentaires. Aujourd'hui, je soutiens le même pari !

Accompagnement : Je décante ce millésime six heures avant le service pour une dégustation entre 16 °C et 18 °C, et suggère un mariage avec une côte de veau de lait accompagnée de lamelles de truffes noires et d'un millefeuille d'aubergines et tomates séchées.

DO Xeres Oloroso Emperatrice Eugenia Emilio Lustau

• C'est sûrement l'un des vins d'Europe les plus mythiques. Il doit sa renommée aux commerçants et courtiers anglais. L'expression du xérès est un must pour les amoureux des vins de style oxydatif. D'une couleur foncée, topaze, avec des reflets orangés, sa robe conserve une grande limpidité. La matière colorante est très riche et d'une fluidité consistante. Presque visqueuse, elle témoigne d'une importante richesse en alcool. Le bouquet est ample. Ses arômes tertiaires, très intenses, dévoilent des parfums de noix et de châtaignes. Des notes légères de vinaigre balsamique précèdent des touches salines, iodées, et de café fin. En bouche, sa structure puissante, très chaleureuse en alcool, conserve une grande souplesse. En dépit de son profil velouté et rond, il se présente équilibré grâce à l'acidité et à la sapidité donnée par un sous-sol formé d'albariza *(70 % de craie et de calcium).* Les valeurs d'intensité et de persistance sont infinies. Sa séduction est liée à ce terroir chaud de l'Andalousie et à l'influence de la mer Méditerranée qui joue son rôle en apportant aux vignobles une bénéfique influence saline et iodée.

Accompagnement : Je propose de décanter ce vin et de le servir à 14 °C sur des œufs en meurette, avec un coulis de truffes noires et une purée de châtaignes de Corrèze.

Le Portugal.

Mon titre de meilleur sommelier d'Italie « Master of Port » remporté en 1995 était agrémenté d'un voyage dans le Douro. Bien des années plus tard, je n'ai rien oublié de cette vallée qui reste pour moi une des plus belles perspectives de vignoble au monde. Sculptées à flanc de collines, en terrasses, les vignes bordent le Douro en une vision grandiose qui symbolise la puissance créatrice de l'homme lorsqu'il s'agit d'adapter la géographie au vin. Ce travail, au Portugal, s'accompagne d'un classement très rigoureux, élaboré en 1761, délimitant les 42 000 hectares – de denominaçào de origen controlada (équivalent AOC) – d'appellation et finalement classés en quintas de A à F selon l'altitude, la productivité, le terroir, la localisation, les cépages, l'inclinaison, par M. Moreira da Fonseca en 1947.

Au cours de ce voyage, j'ai découvert avec surprise que les repas peuvent s'accompagner uniquement de portos. Ainsi, à l'apéritif, ai-je pu apprécier un porto blanc avec des amandes grillées. Mon entrée et mon plat ont été servis sur un porto rubis et un porto tawny. Suivirent un porto LBV pour mon fromage et un porto vintage pour le fondant au chocolat. Voici deux vins mythiques qui reflètent l'histoire viticole du pays : une Quinta do Noval Vintage Port Nacional 1963 et un Madeira Malvazia Barbeito 1834. J'ai choisi ces deux vins car ils sont des exemples parfaits de vins capables de vieillir durant plusieurs siècles. Les amateurs sont en admiration devant la complexité de ces vins obtenus par mutage (technique qui consiste à ajouter une quantité d'alcool dans un moût de vin en fermentation pour arrêter celle-ci).

DOC Porto Quinta do Noval Vintage Port Nacional, 1963

• La robe est attirante avec une riche densité, une forte capillarité, sur une belle couleur d'un rouge tuilé. Le bouquet délivre de nombreux parfums avec une finesse extraordinaire. L'éventail est large, de notes de cerises noires au chocolat, de pain d'épices à l'humus, puis aux pruneaux secs, à la crème de cassis, aux cèpes, au romarin. En bouche, ce vin entre tout à la fois avec force et, prodige, avec délicatesse et souplesse. L'intensité et la persistance sont remarquables autant que la puissance et le soyeux. La fin de bouche rappelle les mûres sauvages. Je perçois encore une très légère tannicité qui assure l'équilibre. Les secondes passent sur des sensations de grande jeunesse et fraîcheur. Puis je me trouve confronté à d'autres arômes comme le bonbon anglais…

Accompagnement : Il est important de décanter ce vin et de le servir après deux jours à 16 °C. Il est formidable en fin de repas accompagné d'un havane, double corona, de Ramon Allones ou de la *Sachertorte* au chocolat de Vienne.

OUVERTURE TRADITIONNELLE D'UNE BOUTEILLE DE PORTO

Dans la région de Douro au Portugal, les bouteilles de porto vintage sont stockées à la verticale pour permettre, au cours du lent vieillissement des vins – 30, 40, 50 ans, voire plus –, que le dépôt sédimentaire se fasse au fond de la bouteille et empêche que le degré d'alcool élevé du vin (20° environ) n'abîme le bouchon de liège en l'attaquant.

La position verticale de la bouteille et son long séjour en cave dessèchent néanmoins le bouchon. Pour empêcher qu'il se décompose à l'ouverture avec un tire-bouchon classique, les Portugais ont inventé une technique d'ouverture qui consiste à chauffer à la pince de fer le col de la bouteille, l'écarter et passer aussitôt une plume glacée autour du col. Le choc thermique le casse net. Comme un sabrage de champagne. J'utilise régulièrement en salle cette technique aussi efficace que remarquable et spectaculaire. Après ouverture, il est conseillé de décanter le porto plusieurs heures avant dégustation.

DOC Madeira Malvazia Barbeito, 1834

• Un monument par son âge et la légende attachée à son nom. Ému, je me demande un instant comment définir sa robe. Sa couleur, très riche, m'apparaît marron caramel avec des reflets orangés. On pourrait en oublier qu'il s'agit d'un vin blanc issu du cépage malvoisie! Cette même malvoisie que l'on trouve dans le Bassin méditerranéen, que l'on conseille généralement de boire très jeune, sans vieillissement en bois, utilisée ici dans un style oxydatif avec des sucres résiduels. Comme pour balayer les préjugés… Le bouquet, d'arômes tertiaires, est explosif. Au premier nez, il dévoile des notes d'acétone et d'éther rappelant même la peinture. Après quelques minutes, ces odeurs désagréables disparaissent au profit d'arômes de torréfaction, de café juste moulu, de cacao, de *toffee*, de praline, de cannelle, de réglisse et de zestes d'oranges caramélisés. En bouche, l'équilibre est parfait entre le moelleux et l'acidité, la chaleur et la minéralité. L'intensité et la persistance sont mémorables. La puissance est agréable dans sa vivacité. La fin de bouche évoque même les raisins secs et la chicorée. Après tant d'années (1834!), je ne parviens pas à trouver un autre mot que celui de beauté pour qualifier cette œuvre historique toujours en évolution. Reste une question à laquelle je n'ai pas de réponse : «Combien de temps pourra-t-il encore vieillir ?»

Accompagnement : Il doit impérativement être décanté trois mois avant sa dégustation. Je suggère de le servir à 16 °C sur un chausson de foie gras cuit au four avec un peu de madère et une belle truffe noire du Périgord. Je conseille également de l'apprécier avec un chocolat pur, amer, et un Salomon de Partagas. Pour le café, c'est un Moka Harar d'Éthiopie qu'il faut choisir.

La Grèce.

Je me rends régulièrement en Grèce et chaque fois je suis étonné par les incroyables difficultés rencontrées pour rejoindre, « par la route », les domaines viticoles. Bien que l'Antiquité recèle nombre de récits favorables au vin, il semble que le pays n'ait pas profité de sa longueur d'avance sur ses concurrents. Il doit évoluer encore.

Je reste cependant impressionné par sa richesse ampélographique. Le curieux peut découvrir des cépages autochtones dans chaque vignoble. Une jeune génération d'œnologues, à l'image de Maria Netsika, se battent pour la production de vin de qualité. Il faut donc croire en l'avenir. Le Vinsanto, originaire de l'île volcanique de Santorin, est une production chargée d'histoire qui laisse entrevoir les possibilités du vignoble grec. Il est élaboré à partir de trois cépages autochtones : l'assyrtiko, l'athiri, l'aedani. Par des écrits du XIVᵉ siècle attribués au juge Pétrus de Crescentiis, nous connaissons les techniques ancestrales de séchage et de vinification de ce vin. La mention santo est un hommage à Hélios, dieu du Soleil, allié naturel qui permet de sécher les raisins.

Santorini Vinsanto Sigalas, 1999

• Il m'est impossible de ne pas décrire un vignoble formé de ceps taillés par l'homme jusqu'à former une corbeille ou une sorte de nid de cigogne pour protéger les raisins, qui s'appellent « ampelies » en Grèce. Les grappes mûrissent à l'intérieur ! Voilà pour la singularité du Vinsanto de Santorin. Place à sa dégustation. La robe est de couleur topaze avec des reflets soutenus, orangés et brillants. Le bouquet est exubérant, oriental et épicé. Il dévoile des notes de raisins secs, de dattes séchées, de cannelle et de confitures de pruneaux. La bouche est consistante, d'une grande douceur, et d'une très longue persistance. Le cépage assyrtiko, riche en polyphénols, lui confère une présence étonnamment tannique. L'équilibre est assuré par une forte sapidité encouragée par l'influence maritime et un sol volcanique. Les cépages utilisés enferment également une acidité naturelle très caractéristique.

Accompagnement : Je sers ce vin à 14 °C, avec une tarte fine de figues rôties et une glace aux raisins de Corinthe.

L'Allemagne.

Je considère les vins blancs d'Allemagne, et particulièrement les rieslings, parmi les meilleurs du monde. Les productions s'équilibrent toujours entre l'acidité et le sucre résiduel. L'alcool n'est pas vraiment un facteur déterminant. La diversité dans les grands crus et dans les crus est comparable à celle de la Bourgogne. Un même village peut renfermer des parcelles totalement différentes, comme nous l'avons vu pour la Romanée Conti.

Chaque fois que je déguste un millésime ancien à l'aveugle, je m'étonne de son incroyable capacité à vieillir. J'ai généralement tendance à les rajeunir de quinze ans ! Chez le producteur Fritz Haag, par exemple, j'ai goûté un millésime de 1973 avec une robe pâle, un bouquet minéral d'une grande acidité, avec même des notes exotiques. Il était très frais, très vivant comme s'il avait été produit à l'orée des années quatre-vingt-dix. Ces vins ont aussi un grand avantage : leur étiquette. Elles informent le consommateur avec précision et honnêteté. On compte treize régions viticoles différentes. J'ai choisi de vous faire découvrir la typologie Auslese, qui signifie vendange tardive, dont l'équilibre entre les sucres résiduels et l'acidité est parfait. Dans un autre registre, j'ai retenu l'essence pure d'une sélection grains nobles, c'est-à-dire un TBA (Trockenbeerenauslese), qui compte parmi les meilleurs au monde que j'aie jamais dégustés.

Mosel Saar Ruwer Riesling Auslese Brauneberger Juffer Sonnenuhr Fritz Haag, 1996

• La robe est étonnante. Brillante, lumineuse et en même temps pâle, elle affiche une teinte

jaune or magnifique aux reflets verts. La densité est principalement obtenue par la présence de sucres résiduels car le degré en alcool est faible. Le bouquet exhale des parfums extraordinaires, très subtils et intenses. Le riesling exprime parfaitement sa minéralité et son élégance. Il rappelle les arômes d'anis sauvage, de pample-mousse jaune, de citron, de pierre à fusil et de raisin encore frais. D'une grande légèreté en bouche, ce vin est aérien, cristallin, encore mordant par sa fraîcheur mais d'un équilibre parfait grâce au sucre résiduel. L'alcool n'entre pas en compte : seulement 8 °C. L'harmonie est parfaite et je parie sur au moins trente années de garde ! D'ailleurs, il serait raisonnable de ne pas chercher à l'apprécier aujourd'hui.
Accompagnement : Pour ceux qui ne peuvent pas attendre, en raison de sa haute minéralité je le conseille avec un carpaccio de langoustine au caviar osciètre, décanté et servi autour de 12 °C.

Baden Muskateller Trockenbeerenauslese Ihringer Winklerberg Weingut Doctor Heger, 1996

• Dès le premier instant, dès le bruit suave généré par le service du vin dans le verre, on remarque sa densité et sa teneur en sucre. La robe, d'un or très intense et brillant, est d'une riche matière colorante. Sa consistance se traduit par de nombreuses larmes qui descendent sur les parois du verre. Le nez est explosif, exprimant tout l'exotisme des fruits comme la mangue, l'ananas rôti ou encore les agrumes tels que la clémentine et le zeste d'orange confit. C'est un bouquet séduisant de forte personnalité et varié. Il exprime également le gingembre, le poivre blanc, la rose, la menthe et le caramel. La bouche est caressante, douce et parfaitement équilibrée grâce à la minéralité et la fraîcheur du vin. De qualité excellente, harmonieux, ce vin laisse présager un long vieillissement.
Accompagnement : Je le sers à 12 °C, décanté, avec un foie gras poêlé, une confiture d'oranges sanguines et quelques zestes de citrons confits.

La Suisse.

La vigne a été introduite en Suisse à l'époque romaine. Voilà pour l'expertise. Les vins d'ici sont excellents. Mais personne ne les connaît car ils sont pratiquement tous consommés sur le territoire helvète. Parmi les 15 000 hectares plantés, la plupart le sont en chasselas, cépage considéré à tort comme un raisin de table.

Sur des terroirs de qualité comme la Romandie, par exemple, il donne naissance à des vins blancs remarquables. J'ai visité ce pays à de nombreuses reprises. Chaque fois j'ai pris beaucoup de plaisir à décortiquer les influences française, italienne ou allemande. À l'image de la géographie les vins sont complexes. Comme les sommets des montagnes, ils sont cristallins, purs et précis. C'est la production de Marie-Thérèse Chappaz que je retiens pour ce pays. La première fois que j'ai visité ce domaine j'ai éprouvé un plaisir extraordinaire à déguster ses vins obtenus par sélection de grains nobles, riches d'exotisme et de séduction.

Valais Petite Arvine Grains Nobles Marie-Thérèse Chappaz, 2001

• Sa robe est très étonnante car elle possède la richesse de la couleur or, et en même temps des reflets verts qui indiquent la fraîcheur et la jeunesse. Le bouquet, intense, évoque l'exotisme des fruits frais et sucrés comme la papaye, le litchi, l'ananas, la mangue. Je perçois encore des notes de compote de pommes, de gelée de pêche et de gingembre. La bouche est très sucrée, mais magnifique. Équilibrée par une forte présence d'acidité, elle affirme un profil salin et persistant. La fin de bouche est marquée par la fraîcheur et des notes de safran. C'est un vin à parfaite maturité qui procure beaucoup de plaisir.
Accompagnement : Je sers ce millésime à 14 °C avec une salade de mangue parfumée à la menthe fraîche.

L'Autriche.

En 1985, l'ajout d'une substance toxique qui devait renforcer la structure des vins a provoqué un scandale relayé par les journaux du monde entier. Ainsi, l'une des cultures viticoles les plus anciennes d'Europe centrale se voyait mise à l'écart. Les années ont passé et, à force de travail, les vins blancs et les vins doux autrichiens ont pris place parmi les meilleures productions du monde.

J'ai été merveilleusement bien accueilli dans ce pays et j'ai senti une immense solidarité entre des producteurs qui souhaitent tous se faire connaître à l'étranger. Willi Opitz, un producteur de Neusiedlersee, m'a ainsi reçu en ouvrant plus de trente bouteilles ! Et sa générosité n'a pas eu de limites puisqu'il m'a accompagné chez nombre de ses voisins pour me faire découvrir la plus large palette possible de crus. C'est en Autriche que j'ai découvert la grande importance des lacs, sources et rivières pour l'épanouissement des vignes. Le Danube, par exemple, a un rôle de régulateur, évitant le gel en hiver et les grandes chaleurs en été dans la Wachau. Autour de chez Willi, près de vingt-sept lacs alimentent le vignoble en humidité. Pour illustrer cette production j'ai choisi la vedette de la Wachau, François Xavier Pichler et son confrère, l'original Willi Opitz.

Wachau Grüner Veltliner Smaragd Dürnsteiner Kellerberg François Xavier Pichler, 2000

• La robe s'affiche avec une couleur jaune or, des reflets brillants et une belle consistance. Le bouquet est très pur. Ses arômes de type secondaire montrent toute sa minéralité et sa droiture. Il dévoile des parfums de poivre vert, d'herbes coupées, de tilleul, de pomme verte, de coriandre et de compote de poires. C'est un vin de parfaite maturité car l'équilibre est excellent entre le gras et la fraîcheur du corps. Doté d'une colonne vertébrale très droite, il exprime une forte personnalité.

Accompagnement : Je le sers à 10 °C avec un turbot rôti, une sauce aux agrumes et des pointes d'asperges vertes à la vapeur.

Neusiedlersee Muskat Ottonel Schilfwein Willi Opitz, 2003

• Ce vin est unique grâce à son producteur Willi Opitz, inventeur d'une technique qui consiste à faire sécher les raisins de muscat ottonel sur les roseaux qui bordent les lacs de la région de Neusiedlersee. À l'œil, on devine sa jeunesse à sa robe jaune paille aux reflets verts. Lumineux, il se caractérise aussi par une forte densité provoquée par les sucres résiduels. Le bouquet est expressif, élégant, et extravagant. Il dévoile une grande richesse aromatique dominée par les fruits sucrés comme l'abricot, le jus de poire, la mangue, et la note épicée du gingembre. La bouche est séduisante, douce, souple et chaleureuse. Son équilibre est assuré par la fraîcheur. Surgissent encore les fruits exotiques comme la papaye, les fruits de la passion, mais aussi de légères notes mentholées et de clémentine. Il reste léger et friand en dépit de son goût de sucre et de son velouté.

Accompagnement : Je propose de le déguster à 12 °C avec un dessert exotique aux fruits caramélisés et une compote de kumquat au parfum de gingembre.

La Hongrie.

D'abord un hommage. La Hongrie se confond dans mon esprit avec Tibor Gal, œnologue hongrois autrefois maître de chaix du domaine Ornellaia, en Toscane. Ce vigneron magnifique, disparu prématurément, je ne peux m'empêcher de songer à lui, tout comme je ne peux oublier notre dernière rencontre, alors qu'il tentait de faire évoluer la viticulture de son pays d'origine. Cet homme qui a tant œuvré pour le vin parlait avec une excitation folle de son nouveau domaine en Afrique du Sud. Il voulait en faire le meilleur vin du continent : en effet, son premier millésime était extraordinaire. C'était avant que la mort ne l'emporte sur sa terre d'adoption.

Mais revenons à la Hongrie, à un vigneron, István Szepsy, et à une appellation historique : le tokaji, l'un des plus anciens vins moelleux du monde, déjà si apprécié par Louis XIV qu'il le nomma le vin du roi et le roi des vins. Pour ne pas le confondre avec le tokay pinot gris d'Alsace, aujourd'hui, les Hongrois réclament la réappropriation de son nom d'origine. Trois cépages – deux autochtones, le furmint et l'harslevelü – et un d'origine française, le muscat de Lunel, sont cultivés sur un terroir volcanique. Voici l'un des plus beaux vins moelleux que j'aie jamais dégustés.

Tokaji Aszù 6 Puttonyos István Szepsy, 1995

• La robe s'étale sur des tonalités ambre aux reflets topaze. La couleur est très riche, consistante, brillante et lumineuse. Dès le premier nez je remarque l'élégance, la complexité que le champignon *Botrytis Cinerea* apporte au vin moelleux. Le bouquet est ample. Il varie entre la confiture d'abricot, le caramel au beurre salé, le miel, le zeste d'oranges confites, le tabac à pipe et l'infusion de camomille. En bouche, il se révèle séduisant, charmeur, extrêmement doux, et surtout d'une grande fraîcheur grâce à la combinaison de l'acidité naturelle du furmint et d'un sous-sol d'origine volcanique. Il est très profond,  long en bouche, et suggère des notes de papaye. Harmonieux, il pourra encore évoluer pendant quinze ans.

Accompagnement : Je le sers à 14 °C accompagné d'un soufflé au citron, avec quelques zestes d'oranges confites, des abricots secs, et un coulis aux fruits exotiques.

LES NOUVEAUX MONDES

Les États-Unis.

Les États-Unis, qui pratiquent le syncrétisme viticole depuis le XVIIIe siècle, ont modelé la vigne à leur image : conviviale. Les vignobles de la Californie et de l'Oregon sont très faciles à comprendre, généreux dès l'ouverture, bénéficiant à la fois d'un climat béni des dieux et de techniques de vinification souvent bien en avance sur celles qui sont utilisées en Europe.

Loin de moi l'envie d'arbitrer le bras de fer entre les deux continents, mais il faut reconnaître que les bordeaux sont principalement visés par cette concurrence. On parle aujourd'hui de classer le vignoble californien à l'image du vignoble bordelais en 1855… Il y a une dizaine d'années, lors de mes premières dégustations, le rapport qualité-prix était extraordinaire. Aujourd'hui, leur montée en puissance me semble incontrôlée. Trop de domaines, trop de « vins de garage », de « vins de boutique », et des prix exorbitants pour les grands noms… Étrangement, ces producteurs épris de technique parlent peu de terroir. C'est bien là l'aveu d'une médiocre connaissance de l'histoire viticole. J'ai été épaté par des vins à la maturité phénolique extraordinaire, des vins très bien structurés, d'arôme presque jamais végétal, avec toujours la présence de fruits mûrs, mais qui ne justifient pas leur prix au-delà de cent euros !

J'ai choisi de présenter d'abord un vin de la Napa Valley issu du cépage zinfandel,

connu dans les Pouilles sous le nom de primitivo, suivi de deux vins icônes parfaites de la viticulture californienne : un chardonnay de Kistler qu'on pourra facilement identifier lors d'une dégustation à l'aveugle par son caractère généreux et son style moderne. Son profil rond et « barriqué » est aujourd'hui une référence parmi les chardonnays produits dans le monde. Et, pour finir, un zinfandel, cépage emblématique de Californie avec son bouquet poivré de fruits noirs, ainsi que son caractère charnu et charmeur.

California Lytton Springs Vineyard Ridge, 1997

• Le vin se présente avec beaucoup de richesse. Il est profond, singulier par sa robe rubis et ses reflets légèrement grenat. Dense, il laisse peu de transparence. Le bouquet est très intense, épicé, parcouru de notes de mûres sauvages, de cacao et encore de senteurs sucrées comme les parfums de pâtisseries, de confiture de cerises. En bouche, la structure est puissante, rendue chaleureuse par l'alcool, et en même temps élégante et masculine grâce à des tanins soyeux. C'est un vin très généreux qui pourra encore s'affiner avec le temps, bien qu'il nous procure dès aujourd'hui beaucoup de plaisir.

Accompagnement : Je le décante et le sers à 16 °C sur un pigeon rôti à la sauce au cumin et une purée de petits marrons.

Sonoma Valley Kistler Vineyard Chardonnay, 2000

• Ce vin se présente déjà sûr de lui avec une robe jaune or illuminée de reflets paille. Riche par sa matière colorante, il garde une belle transparence ainsi qu'une magnifique brillance. Le nez exprime un bouquet secondaire très intense dont le toasté de la barrique neuve marque encore le vin. Je retrouve des notes d'abricot, de miel, d'acacia, de beurre, de noisette et aussi de brioche. La qualité du bois utilisé est élégante donnant un bouquet raffiné. La bouche est très généreuse par le gras et la chaleur apportés par l'alcool. Elle est équilibrée par l'acidité présente et persistante en fin de bouche.

Accompagnement : Au final, un très joli vin au corps soutenu à servir sur une bisque de homard aux châtaignes de Corrèze et amandes grillées, autour de 10 °C.

Le Chili.

Les 55 000 hectares du vignoble chilien sont situés entre le 27e et le 39e parallèle. À la diversité climatique, il faut ajouter la variété et la typicité des sols qui induisent une absence totale d'uniformatisation. L'essor de ce pays sur le marché international me semble amplement mérité. Le travail des vignerons et d'autres experts comme mon ami sommelier Hector Vergara y est remarquable. Les investissements dans de nouveaux équipements et l'accent mis sur la réduction du rendement laissent présager de grandes années pour le vin chilien.

J'ai choisi de présenter un Altura car il exprime la maturité phénolique parfaite sans aucune note végétale grâce à un grand écart de température entre le jour et la nuit qui permet de vendanger quelques semaines après les dates habituelles. Même le carmenere, cépage dominant de l'Altura, offre un bouquet plein de fruits et de vinosité.

Colchagua Valley Altura Casa Silva, 2001

• Ce vin m'a plu dès la première dégustation. Ses caractéristiques de générosité et de profondeur s'accompagnent d'une élégance naturelle. Je le choisis pour sa qualité et l'expression du cépage qui le compose à 60 %, le carménère, récolté ici à parfaite maturation (alors qu'il présente un aspect végétal et une dureté de tanins chez d'autres producteurs). Les conditions climatiques du domaine de Casa Silva sont parfaites : les vendangeurs cueillent les raisins entre trois semaines et un mois après les vendanges du merlot. Ils proviennent du vignoble Los Lingues, au nord-ouest de cette merveilleuse vallée. La maturité, plus lente, est aussi plus harmonieuse. La robe de couleur rouge pourpre, aux reflets violines, est profonde, peu transparente, et d'une extraordinaire consistance. Le bouquet est extravagant et très intense. Les valeurs de qualité et de persistance sont optimales. Le vin dévoile des parfums de myrtilles, de poivrons confits, de

réglisse. Très vineux, il évoque encore les jus de fruits rouges. Après quelques secondes, il laisse apparaître des notes de cendres, de cumin, de menthol. La bouche est pleine, riche et chaleureuse. La trame tannique est d'une extrême finesse, donnant un vin équilibré et profond. Très caressant et soyeux, il se prolonge dans la longueur.

Accompagnement : Devant ce cru d'une qualité exceptionnelle, le plaisir est instantané. Je conseille une décantation deux heures avant un service à 16 °C. Il se marie merveilleusement avec un canard laqué aux épices accompagné d'une purée de haricots tarbais à l'harissa. C'est une valeur sûre à déguster dans sept ou huit ans.

L'Argentine.

J'ai traversé la cordillère des Andes en partant de Santiago pour Mendoza en autobus. Il faisait 35 °C. Cette température justifiait à elle seule de nombreuses différences entre les deux pays voisins. Ma première visite a duré un mois, sac à dos.

J'ai parcouru les vignobles de plusieurs régions viticoles dont certaines sont attachées à la vigne depuis l'introduction des premiers plants par les conquérants espagnols en 1541. Les deux cépages principaux utilisés depuis toujours sont une version locale de la criolla et de la cereza. Dans la Vallée de Calchaquies, à l'extrême nord du pays, près de Molinos, j'ai dormi une nuit dans un monastère perché dans les montagnes et cerné la nuit par des loups. Sous un ciel peuplé d'étoiles, j'ai ouvert une bouteille de torrontes en compagnie de Maria et des accords d'une guitare. J'ai choisi cette bouteille en souvenir de cet instant magique, par complexe sentimental.

Mendoza Torrontes Fincas Las Higueras Bodega Lurton, 2004

• La robe est attirante, brillante, d'un jaune vert avec des reflets argentés. Je note une certaine consistance provoquée par un climat ensoleillé et une bonne richesse en alcool. Le bouquet est légèrement aromatique, d'une intensité nette et pure. Il rappelle des parfums de poires William, de fenouil frais, de levures de boulanger, de raisins frais. Je trouve ce nez printanier en raison de la fraîcheur de notes aromatiques comme la sauge. La bouche affirme un juste compromis entre la générosité apportée par l'alcool et la fraîcheur en acidité obtenue grâce à l'altitude de ce vignoble (1 200 mètres) de la Vallée de l'Uco (région de Tupungato). Léger dans sa dégustation, c'est un vin d'une compréhension rapide qui offre un plaisir immédiat. Il est d'un excellent rapport qualité-prix.

Accompagnement: À servir autour de 8 °C avec un risotto d'asperges parfumées au thym et au basilic.

L'Australie.

Par sa production et quelques références de grande qualité, l'Australie fait désormais peur aux pays traditionnellement producteurs. Ses exportations progressent continuellement au point d'atteindre la deuxième place sur le marché américain en 2004, juste derrière l'Italie.

Le shiraz (le nom donné à la syrah sous cette latitude) est le grand cépage rouge du pays. J'ai goûté environ une centaine de productions différentes et j'ai souvent retrouvé dans les vins rouges deux caractéristiques : un bouquet aux notes mentholées et d'eucalyptus, un corps généreux. Le vin est à l'image d'un art de vivre simple, convivial et spontané. Il a la générosité de ses habitants. Pour illustrer cette générosité, j'ai choisi un vin de la gamme Penfolds, grand producteur de l'Australie méridionale qui marie la quantité et la qualité avec des assemblages bon marché et d'autres très élitistes. Le Grange, vin emblématique de ce pays, est le premier vin australien à être connu dans le monde entier. Ses qualités remarquables m'ont permis de sélectionner dans ma cave une verticale de plus de vingt millésimes.

South Australia Grange Penfolds Shiraz, 1998

• La robe est concentrée, de couleur rubis avec des reflets pourpres. Elle ne laisse aucune transparence s'infiltrer. La fluidité est consistante avec des larmes étroites et serrées. Très intense et exubérant, le bouquet est remarquablement fidèle à l'image du Grange. Encore légèrement marqué par le bois, il dévoile au premier nez des parfums de cacao, de réglisse noir et d'eucalyptus. Sa vinosité se manifeste par la suite, évoquant la confiture de mûres,

de cassis, et la cerise noire. Ample, encore extrêmement jeune, il lui faut quelques minutes pour laisser la place à des arômes de sauge, de cendre, et de fumaison. La bouche volumineuse, sphérique, exprime la puissance et l'équilibre. La souplesse et le gras dominent cette cuvée chaleureuse, de forte intensité et pourvue de tanins d'une extraordinaire qualité. La fin de bouche est merveilleusement longue, rappelant la douceur des parfums de pâtisseries comme la vanille. Il faut décanter ce millésime deux heures avant le repas.

Accompagnement : Servi autour de 16 °C, il s'épanouit sur un accord typiquement australien, une viande de kangourou et des poivrons grillés. Une bonne partie de golf facilitera la digestion.

Margaret River Cullen Chardonnay, 2001

• La robe, d'aspect brillant et lumineux, est parée d'une teinte jaune paille très vive. Le bouquet étonne par sa belle intensité et sa finesse aromatique. Il dévoile une certaine minéralité associée à des fruits frais comme la pêche, l'abricot et la mirabelle. Je perçois également la fleur d'oranger et l'onctuosité du beurre. En bouche, je remarque un parfait équilibre. Les sensations de plaisir et de facilité de compréhension s'additionnent. La générosité de l'alcool procure une chaleur en équilibre avec la fraîcheur. La fin de bouche rappelle des notes d'aneth, de citron. Échappant aux critères classiques de standardisation, ce chardonnay prouve la variété des produits du Nouveau Monde. Imaginez que la première fois que je l'ai dégusté à l'aveugle j'ai pensé qu'il s'agissait d'un Meursault !

Accompagnement : Servi à 12 °C, c'est un vin d'une belle personnalité et que j'accompagne de cailles grillées au cumin et d'une salade de roquette au vieux vinaigre balsamique.

La Nouvelle-Zélande.

Un bol frais, un parfum de jeunesse et de printemps, le climat frais et maritime de la Nouvelle-Zélande produit un vin moderne très excitant. « Nouvelle-Zélande », tout est dit à travers les mots choisis pour nommer ce pays : en vin comme en toutes choses, il est là-bas question de vivacité, fraîcheur, et nervosité.

Seulement 12 000 hectares de terre sont consacrés aux vignobles (comme à Chypre). Il est assez hallucinant de se rappeler que les premiers vins de qualité n'ont surgi ici qu'au milieu des années quatre-vingt. Mais les progrès ont été foudroyants ! Fait remarquable, c'est dans la région d'Otago, cernée de montagnes et de lacs, que la vigne pousse dans des conditions extrêmes, à la latitude la plus méridionale de la planète. C'est en Nouvelle-Zélande, aussi que l'on trouve les vignobles les plus au sud à Otago et les plus à l'est du globe à Gisborne. La couverture des nuages, les sols siliceux et le climat froid et maritime laissent parfaitement s'épanouir le chardonnay, le pinot noir et surtout le sauvignon. J'ai retenu ce dernier dans ma sélection, lui qui prend son suc sur le sol alluvionnaire et caillouteux de Marlborough.

Marlborough Wairau Valley Villa Maria Sauvignon, 2004

• La robe se pavane en jaune-vert avec des reflets argentés très pâles et brillants. Sa faible consistance favorise une bonne transparence. Le bouquet, très intense et direct, d'une excellente qualité, dévoile une aromaticité très primaire rappelant des notes de menthe, de citron vert, de jus d'ananas, de basilic et de piment vert doux. La bouche est délicate, légère, très rafraîchissante, caractérisée surtout par la vivacité. Malgré sa jeunesse, ce vin est harmonieux, très désaltérant, et d'une grande pureté. Ce sauvignon n'a pas été vieilli en bois et nous enveloppe des parfums d'herbes aromatiques, de fruits verts, de kiwi et de feuille de tomate.

Accompagnement : C'est un vin pour les jeunes dégustateurs et les palais féminins, que je conseille de servir autour de 8 °C, en apéritif, ou sur un velouté d'asperges, ou encore avec des spaghetti aux palourdes parfumés d'origan.

L'Afrique du Sud.

Avec ses airs de Provence, la région du Cap est un bout de paradis à la pointe de l'Afrique. Blottis entre deux océans, adossés à des montagnes spectaculaires, ses vignobles prospèrent en d'immenses domaines impeccablement entretenus et immanquablement agrémentés de maisons de maître aux murs blancs et aux toits de chaume. C'est à la fin du XVIIᵉ siècle que les Blancs de la future Afrique du Sud, pour la plupart des huguenots chassés de France, ont produit les premiers vins du pays destinés à ravitailler les navires de la Compagnie des Indes orientales. Longtemps Le Cap n'a été qu'un potager pour des colons déterminés à explorer le monde, avant de juger la terre suffisamment belle pour s'y ancrer. Depuis la fin de l'apartheid, la viticulture sud-africaine est en pleine révolution avec une ouverture au monde qui se traduit à la fois par le souci d'intégrer les populations métis et noires aux postes à responsabilité et par un dynamisme dans la production.

On trouve nombre de vins faciles qui s'exportent comme des petits pains à Londres, mais aussi des domaines de qualité comme le Vin de Constance célébré par les cours européennes pendant deux siècles jusqu'à sa disparition à cause du phylloxéra. La légende prétend que Napoléon en aurait réclamé un dernier verre avant sa mort. Klein Constantia près du Cap l'a ressuscité en 1986.

Klein Constantia Vin de Constance, 2000

• La robe est riche et profonde avec des reflets ambrés. Très lumineuse dans sa couleur, elle déploie une grande consistance caractérisée par une capillarité très dense. Le bouquet aromatique, très direct, de forte intensité, évoque rapidement des parfums de raisin frais, de clémentine, de pétale de rose, de melon d'eau et d'ananas rôti. La structure est d'un équilibre parfait entre les notes de sucre et la fraîcheur. Très séduisant par son caractère rond, il exprime une qualité très raffinée.

Accompagnement : Je l'apprécie dans cette maturité et le sers autour de 14 °C avec un ananas Victoria accompagné d'un coulis de fruits de la passion.

LES INSOLITES

Le Japon.

Les vignobles japonais sont parmi les plus anciens de l'histoire viticole. Des moines bouddhistes ont installé les premiers plants du pays en 718 à Katsunuma, pour des raisons médicales. Au XVIᵉ siècle apparaît le premier vin rouge produit pour la consommation : le tintashu, association du tinta de la langue portugaise (rouge) et du shu de la langue japonaise qui signifie saké. Il est l'œuvre de missionnaires portugais qui conservèrent le monopole du vin jusqu'à leur expulsion à la fin du XVIIᵉ siècle.

L'importation de cépage étranger relance la viticulture à la fin du XIXᵉ. Aujourd'hui, malgré des conditions climatiques hostiles (humidité, vent glacial de la Sibérie), l'homme parvient à faire fructifier ses 30 000 hectares de vignobles. Il s'appuie sur la méthode dite de *tanazukuri*, qui consiste à palisser les vignes sur une structure métallique située à deux mètres du sol. Les cépages hybrides delaware et kyoho sont les plus répandus. À l'ouest de Tokyo, à Yamanashi, dans le célèbre vignoble de Jyonohira, on produit un vin de style bordeaux à base de cabernet sauvignon. Je retiens pour cette dégustation un merlot dans le vignoble de Kikyogahara, dans la région de Nagano, car il témoigne de la fascination du Japon pour l'Occident et de son talent à le reproduire.

Nagano Château Mercian Kikyogahara Merlot, 2000

• Il se présente avec une robe légère, rouge rubis, aux reflets légèrement grenat. Il est limpide et d'une grande fluidité. Le bouquet est vineux, intense, mais d'une légère persistance. D'une qualité plaisante, il dévoile des parfums de fruits rouges comme la framboise, le bourgeon de cassis, mais aussi la tige de fleur mouillée, le romarin et le poivre noir. La bouche s'exprime avec délicatesse. Le corps est léger et équilibré. La jeunesse est garante de fraîcheur, équilibrant la présence d'alcool. La finale est encore légèrement tannique, rappelant l'amande grillée.

Accompagnement : Je le propose à 16 °C avec un tartare de bœuf relevé.

La Grande-Bretagne.

Certes, la production est très faible dans ce pays, mais la passion des Anglais pour le vin justifie mon intérêt. Nombre d'écrivains, de critiques et de vignerons de renommée internationale ne sont-ils pas des sujets de Sa Majesté?

Londres aime la richesse viticole et connaît parfaitement les vins du monde entier. C'est un endroit de rêve pour un sommelier. Je ne m'y suis jamais établi par crainte du brouillard et de la pluie. Malgré ce climat très handicapant, les producteurs anglais développent une viticulture depuis l'époque romaine. Les trois cépages les plus utilisés sont le müller-thurgau, le seyval blanc et le reichensteiner. Tim Johnston, mon ami écossais, m'a fait découvrir à l'aveugle ce Chiltern Valley Medium Dry de l'Oxfordshire. Nous sommes dans l'extrême nord de la viticulture mondiale. C'est un vin unique.

Oxfordshire Chiltern Valley Medium Dry, 1995

• Surprise: aucun autre vin au monde n'est produit à une aussi haute latitude (le 51ᵉ parallèle!). Unique par sa géographie, il est aussi incomparable pour les cépages utilisés: le bacchus, le reichensteiner et la madeleine angevine. Ma curiosité naturelle me pousse à l'apprécier avant tout pour sa typicité originale. C'est un vin plein de pièges, difficile à retrouver à l'aveugle. La robe se présente de couleur jaune or, brillante, avec des reflets paille. Le degré d'alcool est faible et la consistance qui apparaît sur les parois du verre découle des sucres résiduels. Le bouquet est élégant en dépit d'une faible intensité. Il dévoile des fleurs blanches, le parfum de coing, de banane verte, de kiwi et de clémentine. La bouche est légère. L'acidité initiale est équilibrée par la présence d'une certaine douceur. La fin de bouche laisse une sensation vive rappelant la peau du raisin.

Accompagnement: Court en persistance, plaisant par la qualité, il s'apprécie à 12 °C avec une salade d'araignée, amandes grillées et zestes de pamplemousse confits.

Le Canada.

Le Canada est le premier producteur au monde de vin de glace et mon intérêt s'est porté à chacune de mes visites sur cette spécialité. D'une certaine manière, la vigne s'inscrit dans l'histoire de ce pays puisque Jacques Cartier, en 1535, relevait en remontant le fleuve Saint-Laurent la présence de plants à l'état sauvage. Mais il a fallu attendre bien des siècles pour voir un vignoble puisque la première licence d'exploitation n'a été accordée par l'État qu'en 1975 pour la ferme d'Inniskillin, près des chutes du Niagara.

Les premiers cépages utilisés provenaient d'Allemagne. Aujourd'hui, les producteurs n'hésitent pas à tenter l'expérience avec du chardonnay et des variétés rouges françaises. J'ai choisi de déguster un vin de glace emblématique dont le cépage, le vidal, est un croisement de seibel 4986 et d'ugni blanc. Adapté aux conditions extrêmes de ce pays, il donne un vin très plaisant.

VQA Niagara Peninsula Vidal Icewine Inniskillin, 2002

• La robe est très intense et très dense, évoquant instantanément une grande richesse en sucres résiduels. Sa couleur est riche, d'un bel or avec des reflets ambrés et brillants. Le bouquet est explosif et très attirant. Il exprime une grande valeur d'intensité et d'exotisme. Il rappelle la mangue, la pomme au four, le zeste d'orange confite mais également la vanille et le gingembre confit. La bouche est d'une extraordinaire richesse, jouant avec harmonie la séduction apportée par les sucres et la grande vivacité provoquée par l'acidité du terroir et son climat nordique tempéré par l'influence d'un lac et du vent. La fin de bouche est élégante, sans lourdeur, marquée par des notes de bâton de réglisse. Le souvenir de ce vin fort au premier contact est ineffaçable.

Accompagnement: Je le sers à 14 °C avec un foie gras poêlé et une compote de rhubarbe parfumée au gingembre.

Dans ce tour du monde, non exhaustif, j'ai choisi avant tout de parler de cépages emblématiques, qui reflètent une unicité et une identité forte, ici et ailleurs. Mon désir était aussi d'évoquer des vins de plaisir et de souvenirs, qui fixent sur le palais et dans la mémoire des instants volés au bonheur.

Les gestes du vin

QUEL VIN POUR QUEL ÉVÉNEMENT ?

CHOISIR SA BOUTEILLE

LA TEMPÉRATURE DE SERVICE

LE DÉFAUT DE BOUCHON

LA DÉCANTATION

LE VERRE

ORDRE DE SERVICE

COMMENT BÂTIR SA CAVE

MARIAGE METS ET VINS

LES GESTES DU VIN

Choisir son vin, le servir, savoir l'accompagner, faire sa cave, sont les gestes qui accompagnent naturellement la dégustation et sans lesquels elle n'aurait pas de sens. Il y a une cohérence à faire le geste juste quand on apprend à apprécier un bon vin. L'univers du vin est précis. Ce millimétrage est aussi la clé de sa volupté, exquise politesse à faire partager. Il y a un risque de déstabilisation, de plaisir gâché et de gaspillage à ne pas marier un vin à la juste température, au bon verre, à la bonne personne, au bon plat, au bon moment et au cadre idéal… C'est une affaire de respect pour le vin lui-même. De la terre au fût, et du fût à la table, faire du vin et le mettre en valeur sont des actes civilisateurs. Offrir un vin n'est pas un geste égoïste. Il est convivial, rassembleur, fraternel, érotique. Avec un dénominateur commun : le partage d'un plaisir raffiné et chaleureux.

Quel vin pour quel événement ?

Différents critères sont à prendre en considération pour choisir son vin : le type d'événement qui rassemble des convives et leurs personnalités, la saison et le lieu où il sera consommé.

QUELLE TABLE ?

Le vin est le premier lien que l'on tisse à la table avec ses invités.

• *Le repas familial.* Le lien affectif. Le vin tambourine à la table. Je conseille à cette occasion des vins spontanés, directs, intenses, à la structure chaleureuse et accueillante. En **vins blancs :** le vermentino de Ligurie, le viognier du Rhône, le muscat d'Alsace, le sauvignon blanc de Nouvelle-Zélande. En **vins rouges :** le dolcetto d'Alba, le merlot du Chili, la grenache du Priorat, la syrah du Rhône.

- *Le dîner romantique.* Une très légère ivresse. Il faut privilégier des vins exprimant l'élégance, le raffinement et la discrétion. Ils ne sont là qu'en vedette américaine. En **vins blancs**: un grand chardonnay de Bourgogne, un riesling spätlese d'Allemagne, une roussanne de la Méditerranée ou un grüner veltliner d'Autriche. En **vins rouges**: un tempranillo d'Espagne, un sangiovese de Toscane, ou un bordeaux à maturité. Et en **champagne**: des cuvées prestige.
- *Le déjeuner d'affaires.* Le vin comme premier invité de la table. Opter pour les valeurs sûres. L'étiquette rassure les invités et accrédite l'idée qu'ils sont importants. En **vins blancs**: Puligny-Montrachet, Meursault, Chassagne-Montrachet, Condrieu, Châteauneuf-du-Pape, Sancerre, Chablis, Pouilly-Fumé… En **vins rouges**: Pomerol, Saint-Émilion, Médoc, Barolo, Ribera del Duero, Valpolicella, Chianti, Napa Valley, Barossa Valley, Maipo Valley.

LA PERSONNALITÉ

Un vin bien choisi passe aussi par la psychologie de ses hôtes.

- *Une personne vive, extravagante, égocentrique,* appelle plutôt un vin aromatique avec un bouquet très parfumé, un corps reflétant plutôt l'intensité que la persistance. En **vins blancs**: muscat, malvoisie, sauvignon, viognier, gewurztraminer. En **vins rouges**: barbera, cabernet sauvignon, merlot, malbec, zinfandel, syrah, blaufrankisch, zwiegelt.
- *Une personnalité timide et réservée* se sentira plus à l'aise avec un vin de grand terroir, persistant, long en bouche, aux nuances subtiles. Cette cuvée dévoile ses qualités au bout de quelques minutes dans le verre et, avec elles, s'épanouissent les mots imprononçables au début de la rencontre. En **vins blancs**: les très réputés AOC de Bourgogne, de Loire, d'Alsace, du nord de la Vallée du Rhône… En **vins rouges**: «Supertoscany», Pauillac, Rioja, Hermitage, Cornas.

L'HUMEUR DU TEMPS

Le paramètre des saisons ne peut être négligé car il influe incontestablement sur l'humeur du dégustateur.

- *Une journée d'été ensoleillée*, propice à l'entrain, favorise un vin frais, léger, non vieilli en bois, où dominent des caractéristiques de spontanéité aromatique et de jeunesse. En **vins blancs et rosés**: un riesling ou un sauvignon de la Nouvelle-Zélande ou de l'Australie, un Rueda, un Rías Baixas, un vin de la Méditerranée, ou un rosé de Provence. En **vins rouges**: un gamay, un pinot noir ou cabernet franc léger et jeune.
- *Lors d'une journée froide et humide d'hiver* marquée par des soucis professionnels, on cherche à l'inverse chaleur, générosité et séduction dans le vin. Je conseille ici des vins matures au bouquet tertiaire, complexe, vigoureux et enveloppant en bouche. En **vins blancs**: chardonnay du Nouveau Monde, grenache blanche ou marsanne. En **vins rouges**: Madiran, shiraz et cabernet sauvignon de Barossa Valley ou de Coonawarra en Australie, carmenère du Chili, grands crus de Bourgogne, de Bordeaux (Richebourg, Musigny, Pauillac, Saint-Julien….), Barolo, Barbaresco, Chianti Classico, Amarone della Valpolicella, Madère, Xérès, Rioja, Ribera del Duero, Priorat.

LES LIEUX

Les paysages imposent aussi des envies différentes.

- *Sur une terrasse*, des vins frais, salins, faciles à comprendre, s'imposent. En **blancs :** Bellet, vermentino di Gallura, Rías Baixas. En **rouges :** pinot noir de l'Oregon, zwiegelt du Burgenland, dolcetto d'Alba. En **rosés :** Côtes-de-Provence rosé et champagne.
- *À la montagne*, on sélectionnera plutôt des **vins rouges** tanniques au corps généreux et persistants, par exemple un Sfurzat della Valtellina, un Cornas, un Douro, un Penedès, un Cahors, un Barolo… En **vins blancs,** des chasselas, apremont et des rieslings qui s'accordent bien avec les fondues et les fromages en général.

Les voyages sont propices à la curiosité. Sans règle précise, il faut se laisser porter par les découvertes et la cuisine traditionnelle des pays visités. C'est un principe de base transmis par les anciens : les vins locaux sont naturellement en harmonie avec les plats de leur région.

Choisir sa bouteille.

Comment s'y reconnaître dans la jungle des étiquettes et des bouteilles ? J'ai très souvent remarqué la perplexité des clients face à des cartes proposant deux mille références de vins issus du monde entier. La qualité est de plus en plus compétitive à l'échelle mondiale et chaque jour le public peut apprécier de nouveaux crus. Les professionnels, cavistes, sommeliers…, ne résistent pas à des sélections enrichies d'inédits. Les passionnés s'en réjouissent et consolident leur expérience. Mais, face à cette avalanche, je souhaite que les néophytes ne soient pas vaincus par le tournis !

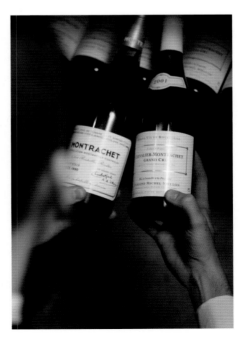

Le rôle du sommelier est ici fondamental. Même si beaucoup de clients semblent prêt à affronter les deux mille références inscrites à la carte, la majorité d'entre eux cherchent à se rassurer avec un vin déjà bu. Un sommelier va tenter de comprendre les exigences du client en conseillant le choix le plus idoine. L'échange doit se faire sur le mode de la confiance. **Si comme dans la plupart des restaurants il n'existe pas de sommelier, le consommateur ne doit pas hésiter à préciser le type de vin qu'il apprécie, avec des mots simples.** Si la maison est bonne, on lui donnera satisfaction, sans pratiquer l'assommoir. Quant à la cuvée du patron, elle n'est pas toujours recommandable. À moins de faire raisonnablement confiance audit patron, il vaut mieux l'éviter.

On se sent évidemment beaucoup plus seul devant un rayon ou une sélection de vins chez un caviste ou dans un magasin. Plusieurs analyses permettent de ne pas se tromper. Le **prix** ne doit pas être un facteur décisif dans le choix d'un vin. Il vaut mieux se fixer un budget afin d'éviter d'immodestes tentations. Le **design** de la bouteille, sa forme, son poids ou ses couleurs ne reflètent pas a fortiori la qualité de son contenu. Méfiance, car la tendance, aujourd'hui, est de présenter des produits aux dessins extravagants pour mieux en dissimuler les carences. Une bouteille qui pèse lourd en verre peut être un poids plume en excellence. Si en comparant son poids à un magnum, vous ne constatez aucune différence, il y a de grandes chances pour que vous teniez entre vos mains un vin très concentré, avec beaucoup de bois neuf et une structure lourde et peu élégante. Passez votre chemin !

L'étiquette devrait agir en boussole. Théoriquement, le nombre d'indications est un bon signe (appellation, lieu de production, nom du producteur, du cru, du millésime, du cépage ou du vignoble…). Sachez tout de

Exemples de formats de bouteilles selon certaines régions françaises

Champagne
Quart	20 cl
Demie	37,5 cl
Bouteille	75 cl
Magnum	1,5 l
Jéroboam	3 l
Réhoboam	4,5 l
Mathusalem	6 l
Salmanazar	9 l
Balthazar	12 l
Nabuchodonosor	15 l

Bordeaux
Fillette	37,5 cl
Bouteille	75 cl
Magnum	1,5 l
Marie-jeanne	2,25 l
Double magnum	3 l
Jéroboam	4 l
Impérial	6 l

Beaujolais
Pot	50 cl

Jura
Clavelin	62 cl

même qu'il existe à travers le monde de nombreux vins sans appellation qui réservent néanmoins d'excellentes surprises. Par exemple, les « Supertoscany », en Italie sont en majorité des vins de table ou IGT. De même, une appellation peut dissimuler une qualité médiocre. J'ajoute qu'une contre-étiquette commerciale enrichie de commentaires de dégustation ou de suggestions de mariages entre mets et vins ne me paraît pas utile pour définir la qualité.

La température de service.

J'ai observé que les vins sont le plus souvent bus à mauvaise température. Il est ainsi impossible de procéder à un jugement objectif. C'est du gâchis. Rien de plus désagréable et inconvenant que de boire un rouge riche de complexité, de corps et de rondeur trop chaud, à 20 °C-22 °C ou, au contraire, de se geler le palais avec un vin blanc glacé à 6 °C.

En général, si vous souhaitez boire un vin de qualité assez ordinaire, servez-le très froid. À température élevée, il serait imbuvable. Concernant un vin à forte acidité et/ou tannicité, augmentez à l'inverse la température de deux degrés. Un vin trop vieux, trop souple, ou trop fort en alcool, doit se servir deux degrés au-dessous de la norme.

	LES BLANCS	LES ROSÉS	LES ROUGES
7 °C à 8 °C	Champagne, mousseux, effervescents en général, blancs aromatiques et secs, et non vieillis en fût comme : albariño, sauvignon, verdejo, muscat, sylvaner, torrontes, malvoisie, rolle, viognier, petite arvine, chasselas, müller thurgau, koshu, inzolia, catarrato, riesling…	Rosés effervescents du monde entier.	
9 °C à 10 °C	Champagne millésimé, cuvée prestige, blancs issus d'élevage en barrique ou vins blancs d'appellation prestigieuse comme : chardonnay, roussanne, grenache, tokay pinot gris, gewurztraminer, semillon, greco, fiano, ribolla…	Rosés légers du monde entier.	
11 °C à 12 °C	Vins blancs demi-secs avec la présence de sucres résiduels comme le Vouvray ; vins blancs à maturité de bouquet comme le Bordeaux blanc, Alsace grand cru, Bourgogne grand cru…	Vieille réserve de Champagne, cuvée prestige, vins rosés secs et tranquilles mais généreux de corps, produits dans des régions ensoleillées, avec un profil gras.	
13 °C à 14 °C	Vins blancs moelleux, blancs doux de style oxydatif (xérès, marsala…) ; vins fortifiés dans leur jeunesse (porto blanc, Pineau des Charentes…).	Vins rosés très riches de structure type « claret », vins rosés avec la présence de sucre résiduel.	Vins rouges obtenus par macération carbonique (Beaujolais nouveau…) ; vins fortifiés légers et jeunes (Banyuls…).
15 °C à 16 °C	Vins blancs à style oxydatif très âgé, au bouquet tertiaire (vieux madère, marsala, vin jaune comme le Château-Chalon…).		Vins rouges jeunes et de structure moyenne (inférieur à 5 ans) ; vins fortifiés de grandes structures et/ou évolués (vieux Maury, porto vintage…).
17 °C à 18 °C			Vins rouges d'une certaine complexité issus d'un grand cru à maturité.
19 °C à 20 °C			Vins rouges évolués de bouquet tertiaire, très complexe, de grande structure (rare !).

TABLEAU DES TEMPÉRATURES DE SERVICE

Le défaut de bouchon.

Au restaurant, doit-on s'offusquer d'un vin servi avec une odeur ou un goût de bouchon ?

Oui, bien sûr, si l'on considère que rien ne doit échapper au sommelier. Celui-ci présente la bouteille à table, l'ouvre, la goûte, s'assurant ainsi de la qualité du vin. Servir le millésime sous-entend qu'il en est pleinement satisfait. En théorie, l'éventualité de se retrouver avec un vin bouchonné est donc minime.

Hélas, chacun a fait l'amère expérience d'un fort goût de bouchon malgré le travail du sommelier. Ou celui-ci n'a pas dégusté le vin, ou il l'a fait de façon superficielle. Le client doit faire remarquer l'erreur sans attendre. Naturellement, la bouteille sera changée.

Il m'est arrivé en tant que client dans un restaurant étoilé que l'on me serve en apéritif un champagne Grand Siècle rosé cuvée Alexandra (200 euros à la carte) bouchonné. J'en ai fait la remarque au responsable du service qui m'a répondu que c'était

la caractéristique de ce champagne. Ce qui, bien entendu, est faux. Afin d'éviter ce genre de malentendu, je conseillerai aux hommes de l'art peu scrupuleux de stocker des bouteilles à *screw cap* (bouchon à vis), la tendance montante en remplacement du bouchon de liège (voir p. 128) utilisé par les vignerons renommés comme Charles Melton en Australie, ou le domaine Laroche à Chablis.

POURQUOI UN VIN EST-IL BOUCHONNÉ ?

Le seul fautif est le chlore, quand une molécule de chlore rencontre un champignon, des phénols et des éléments aromatiques.

Le liège provient du Quercus Suber, arbre qui pousse entre cent et trois cents mètres d'altitude sur des sols de sable, sous un climat dont les températures ne descendent jamais sous −5 °C et avec des précipitations annuelles entre 400 à 800 millimètres. Le Portugal produit 30 % de liège au monde avec ses 670 000 hectares, suivi par l'Espagne avec 480 000 hectares. Produire des bouchons est une entreprise de longue haleine puisqu'il faut attendre vingt-cinq ans pour que les branches du Quercus arrivent au moins à soixante-dix centimètres. Le liège est considéré comme le numéro un parmi tous les bouchons grâce à ses caractéristiques : 45 % de subérine qui donne l'élasticité, 27 % de lignine qui est l'élément de liaison entre les différents composants, 12 % de polysaccharides qui contribuent à la définition de sa structure, 6 % de tanins qui déterminent la couleur, 5 % de roides qui donnent la perméabilité, et enfin 5 % de minéraux, glycérine, et eau.

Il suffit seulement de 4,6 nanogrammes de TCA ou TTCA pour les vins et 1,5 pour les champagnes pour que soit perceptible le défaut du bouchon.

TCA : 2–4–6 Trichloranisole : la maladie du bouchon dont le bouchonnier est le seul coupable.
TTCA : 2-3-4-6 Tétrachloroanisole : met en cause l'atmosphère de la cave contaminée.

La décantation.

La décantation consiste à transvaser le vin de sa bouteille d'origine dans une carafe. Cet élégant rituel, qui a toujours éveillé la curiosité, ne doit pas masquer les raisons réelles, moins poétiques et plus techniques, qui obligent à le pratiquer.

Outre la séparation des dépôts tombés au fond de la bouteille (sédiment formé de tanins et/ ou de matière colorante), on décante pour établir un contact entre le vin et l'oxygène. Ainsi le vin s'ouvre et dégage ses parfums, laissant mûrir au passage les tanins, il arrondit sa structure.

Pour les vins rouges très vieux dont les tanins sont polymérisés, je verse lentement le vin dans la carafe à la lumière d'une bougie placée sous le goulot. J'ai été étonné de lire un jour le commentaire d'un journaliste qui, décrivant l'une de mes décantations, affirmait que j'utilisais cette bougie comme source de chaleur pour porter le vin à bonne température. Il peut donc être utile de préciser que la bougie sert de source de lumière pour voir le dépôt du vin à travers le verre et se tenir prêt à interrompre l'opération lorsque celui-ci se présente au col de la bouteille.

La décantation ne s'effectue pas seulement pour les vins vieillis. Des productions jeunes en ont elles aussi besoin, lorsqu'elles ont tendance à présenter des arômes de réduction (expression de notes animales et métalliques au nez, puis bouche marquée par la tannicité et de la dureté), qu'il faut faire disparaître par l'oxygénation.

Outre la réduction, la vie d'un vin est soumise à un phénomène diamétralement opposé : l'oxydation. Le cépage grenache, par exemple, offre des vins particulièrement sensibles à cette manifestation. On évite la décantation lorsqu'ils sont à maturité. C'est l'inverse pour les vins à tendance réductive, issus de la mourvèdre et de la syrah, qui méritent une décantation pour aider les parfums et le caractère à s'exprimer.

Par le passé, il était communément admis que la décantation était indispensable pour éliminer le dépôt des vins de vieux millésimes. C'est une idée désormais dépassée. Face aux vins trop matures, il faut réfléchir sérieusement avant de décider si une décantation est vraiment nécessaire. Le geste, bien sûr utile pour séparer les sédiments, peut, en revanche, accentuer l'oxydation, risquant d'aplatir le corps et de rendre le nectar irrémédiablement trop vieux. Je trouve plus inspiré, face à un bouquet tertiaire et à une structure très accomplie, d'ouvrir la bouteille quelques heures à l'avance pour exalter les parfums sans aplatir la structure.

Il m'arrive souvent de me trouver dans la situation complètement inverse avec un client qui souhaite boire un millésime encore trop jeune. Je le passe en carafe pour accentuer son vieillissement. L'oxygénation rend plus ronds et plus ouverts ces vins qui, autrement, présenteraient de l'astringence et de l'amertume en bouche. Cette opération a par ailleurs l'avantage d'éliminer l'éventuel dépôt, car il est de plus en plus fréquent d'avoir affaire à des vins qui ne subissent pas de filtration.

Dernière question : peut-on décanter des vins blancs et des champagnes ? Bien sûr ! Pourquoi admettre une théorie pour les rouges et la refuser aux blancs ou aux effervescents de grande structure ? Des vins blancs peuvent se présenter avec des arômes de réductions. Dégustés trop jeunes, ils sont marqués par le bois et/ou l'acidité. Ils réclament alors de l'oxygène pour développer leurs caractéristiques, minéralité, structure et parfums.

Écoutez-les ! Ils font partie de cette typologie de vins produits sur de grands terroirs, de long vieillissement, et dont la complexité signée par la minéralité est la carte d'identité.

Dans la même idée, trop de consommateurs de champagne recherchent l'effervescence et la fraîcheur sans imaginer un instant que ces vins, avant leur deuxième fermentation, étaient à la base des productions de vins tranquilles en caractère et en typicité.

Il m'est arrivé d'organiser le mariage entre les mets et les vins d'un dîner qui réunissait plusieurs grands chefs français. Le menu tournait autour de grandes cuvées de champagne Dom Pérignon rosé. Le plat principal était un chevreuil laqué de petites fèves de chocolat avec une sauce au jus de sureau et des pommes de terre écrasées à la truffe noire du Périgord. J'ai décanté et servi un magnum de Dom Pérignon rosé 1978 à 12 °C dans un verre noir pour masquer son identité. La réaction de plaisir des chefs étoilés présents dans la salle a été très intéressante à observer. Si le mariage était parfait, c'est bien le caractère, l'élégance, le bouquet et l'évolution du champagne qui ont frappé les convives.

Si la forte minéralité des champagnes, leur trame fraîche et franche, leur bouquet timide à l'ouverture, peuvent bénéficier de la décantation qui exalte leurs qualités, je ne souhaite pas pousser systématiquement les dégustateurs à décanter un vin pétillant : on ne tombera pas tous les jours sur un Dom-Pérignon rosé 1978 !

En résumé, ne décantez pas un vin mature avec un bouquet tertiaire, des couleurs évoluées, et une structure trop souple. Au contraire, balayez vos doutes si le vin présente des couleurs brillantes, un bouquet fermé, timide, et une sensation en bouche dure, tannique, vive.

Le verre.

Dans la dégustation, le verre a remplacé le taste-vin (petite tasse en argent) utilisé autrefois par les sommeliers. On recherchera une symbiose parfaite avec le précieux nectar car de sa forme, du type de cristal et de la capacité de contenu dépend l'émotion liée au parfum et au goût du vin.

(a) Schott Zwiesel "Enoteca Champagne" (pour les cuvées prestige),
(b) Schott Zwiesel "Enoteca Prosecco" (pour les cuvées de bruts).

De nombreux paramètres entrent en ligne de compte pour choisir le verre adéquat. La hauteur du pied permet d'adoucir le mouvement du bras qui porte le verre au nez et à la bouche. La qualité du cristal, sa finesse, source de plaisir et de séduction pour les lèvres, exalte aussi bien les parfums que la structure du vin. La forme et donc l'amplitude ne sont pas seulement importantes pour le rapport caractère du vin/ beauté du verre, mais surtout elles sont décisives dans la juste oxygénation.

Ainsi, champagne, vins rouges et blancs appellent-ils des verres différents.

Le **champagne** en cuvées prestige vieillies sur lie nécessite des coupes spécifiques à forme de tulipe car les arômes se concentrent légèrement à la surface. Les champagnes

(1) Schott Zwiesel "Enoteca Burgundy", (2) Schott Zwiesel "Enoteca Burgundy grand cru", (3) Schott Zwiesel "Enoteca Rioja", (4) Schott Zwiesel "Enoteca Bordeaux premiers crus ", (5) Schott Zwiesel "Enoteca Chianti".

plus « simples » préfèrent une flûte plus étroite qui exalte la fraîcheur et la jeunesse.

Les **vins rouges** légers se servent dans des verres de plus petite taille que ceux utilisés pour les vins de structure robuste et au bouquet épanoui. Les rouges à maturité ont, au contraire, besoin d'une surface évasée de verre ballon pour dévoiler leur élégance et leur complexité. Un verre ballon,

(1) Schott Zwiesel "Enoteca Cognac Magnum" (pour les eaux-de-vie brunes), (2) Schott Zwiesel "Enoteca Grappa" (pour les eaux-de-vie blanches et celles de fruits), (3) Schott Zwiesel "Enoteca Acquavit" (pour les vodka, acquavits, brannvin).

bombé dans sa partie inférieure et resserré à son sommet, favorise les vins de souplesse. Un verre large et haut, élancé, favorise les vins tanniques et de bonne acidité avec une colonne vertébrale droite et dure. C'est exactement le contraire pour un vin vieux dont les arômes s'évaporent, et pour lequel il faut concentrer le bouquet par l'utilisation d'un verre ballon resserré à son calice.

Les **blancs** aromatiques comme le muscat demandent des verres larges, les blancs minéraux légers et vifs se satisfont de taille longiligne, à l'inverse des vins élevés en fûts qui nécessitent des verres plus bombés pour en exalter le bouquet et la rondeur. Pour mettre en valeur l'aromaticité et l'intensité d'une **eau-de-vie blanche** à base de fruit, fleur ou épice, il est recommandé de la servir dans un verre étroit au col resserré tandis qu'une **eau-de-vie brune**, vieillie en fût ou âgée, nécessitera un verre évasé pour mieux exprimer la complexité du bouquet et la rondeur du digestif.

Boire un grand vin, dans un gobelet, ou pire, dans un verre en plastique, constitue bien une dissonance par rapport à la qualité d'un cru. Juste une fois, tentez l'expérience de négliger la qualité d'un verre pour une gorgée, et de servir l'autre gorgée dans un cristal de forme adéquate. La preuve vous en sera donnée sur-le-champ ! Il existe sur le marché de nombreuses cristalleries de très bonne qualité. J'ai un faible pour les modèles de verres Enoteca, Schott Zwiesel, qui épousent une grande partie des typologies de vin. N'hésitez pas à dépenser un peu d'argent dans un verre. Ce conseil s'adresse en particulier aux sommeliers et aux restaurateurs pour le plus grand bonheur des clients…

Dernière remarque. Il vaut mieux éviter de trop remplir les verres au moment du service. On n'augmente pas ainsi le plaisir du dégustateur. Un verre ne doit pas être saturé à plus de la moitié de son contenant. L'idéal est même de ne l'utiliser qu'au tiers afin de créer les conditions parfaites d'oxygénation. L'élégant et très utile mouvement de rotation avant la dégustation n'en est que facilité.

VERRE EN CRISTAL ET VERRE DE SOMMELIER

Le cristal souligne les parfums, l'élégance et l'intensité aromatique d'un bouquet. Sa transparence permet d'apprécier et de juger la robe, les reflets, la limpidité et la fluidité du vin. Sa délicatesse rend la dégustation du précieux nectar plus charnelle, plus raffinée. Le verre utilisé par le sommelier est de forme standard, de petite taille, afin d'analyser et commenter les différents vins à égale mesure.

Ordre de service.

Je conseillerais de commencer naturellement par les plats crus – carpaccio, tartare, sushi, salade… –, suivis par les plats cuits – légumes, puis poissons, œufs, champignons, viandes blanches, viandes rouges, gibier –, pour conclure par les fromages et les desserts. Un ordre de dégustation s'impose même à ces deux dernières étapes. Pour les fromages, d'abord les frais (type chèvre), puis les pâtes molles douces (type Reblochon), et les pâtes molles fortes (type Mont-d'Or), enfin les pâtes dures affinées, des plus jeunes au plus âgées, des moins salées aux plus salées – comme d'un Fribourg de douze mois à un Parmesan de trente-six mois –, pour conclure avec les bleus comme le Stilton. Les desserts obéissent eux aussi à une suite logique : en premier les agrumes, puis les fruits jaunes doux, les fruits exotiques, les fruits secs, les crèmes, les mousses, les feuilletés et, pour finir, les desserts à base de chocolat et de café (du plus léger au plus fort, du moins au plus sucré, du moins au plus amer). L'amertume étant une sensation plus persistante en bouche par rapport à l'acidité et au sucre.

Cet agencement s'applique aux vins comme aux plats.

Le bon ordre de service est sous-tendu par une logique très simple : servir les vins du plus léger au plus corpulent, du plus jeune au plus vieux, du plus sec au plus doux. Logiquement, pour les vins de même typologie et de même année, on servira en introduction les terroirs mineurs, puis les grands crus.

Et par ordre d'apparition idéale les effervescents, suivis des blancs, des rosés et des rouges.

• Les **effervescents**. Servir dans l'ordre blanc de blancs, bruts, blanc de noirs, rosés, millésimés et cuvées prestige. Commencer par ceux à base de chardonnay, puis passer aux assemblages et finir avec les rosés. Ruinart blanc de blancs, Philipponat brut cuvée 1522, Egly-Ouriet blanc de noirs, Laurent-Perrier rosé, Bollinger RD 90, Krug Clos du Mesnil 1990, Dom Pérignon 1990 rosé.
• Les **blancs.** Servir d'abord les blancs secs, frais, et aromatiques (Rías Baixas, Sancerre, sauvignon de Nouvelle-Zélande, torrontes d'Argentine, petite arvine du Valais, riesling de la Clare Valley en Australie…), puis les blancs secs vieillis en barrique, du plus jeune au plus vieux (roussanne, chardonnay, grenache, chenin, semillon, viognier du monde entier). Suivent les blancs avec des sucres résiduels du moins doux au plus doux (les demi-secs, demi-doux, doux, vendanges tardives, eiswein, sélection de grains nobles…). Ensuite les vins fortifiés comme les portos blancs, les muscats de Rivesaltes ou de Baume-de-Venise, les blancs de style oxydatif (vin jaune, Château-Châlon, marsala, xérès,) ; puis des moins oxydés au plus oxydés par exemple les fino d'abord, les amontillado, et ensuite palo cortado, oloroso…
• Les **rosés** se servent logiquement du plus léger au plus corpulent, du plus sec au plus doux, du plus jeune au plus vieux. On appréciera d'abord les Côtes-de-Provence, le Tavel et enfin les cuvées prestige de Champagne.
• Les **rouges**. Priorité pour les vins nouveaux (type Beaujolais), suivis des vins jeunes qui

n'ont pas été vieillis en fût. Une bonne distribution impose, en ordre d'apparition, les vins élevés en fût, puis les rouges matures, et enfin les vins doux. Je recommande pour ces derniers une échelle croissante de douceur comme pour les vins blancs. Les vins fortifiés comme Porto et Banyuls pour terminer.
• Les **eaux-de-vie blanches** et les **eaux-de-vie brunes**, vieillies en bois, concluent le repas. Il faut servir ces dernières en privilégiant les productions à base de fruits, puis celles qui sont à base de blé, de canne à sucre, et, en dernier, celles de vin. Par exemple : eau-de-vie d'abricot de Saxon, Whisky Bowmore 1968, Calvados Rareté Adrien Camus, Rhum Clément 1952, Cognac Grand de Champagne Guy Lhéraud 1950.

Mariage mets et vins.

Les correspondances idéales entre la cuisine et la sommellerie sont à ce point complexes qu'on ne peut établir de généralités, mais une cuisine régionale s'enrichit toujours d'un vin de même territoire. L'idéal pour réussir un repas est d'accommoder un vin par plat, y compris pour le fromage et le dessert.

Il existe des sensations élémentaires dont il faut tenir compte pour maintenir tous les équilibres gustatifs entre eux. L'acidité du vin s'équilibre avec le gras du plat. Les tanins avec l'onctuosité. L'alcool avec le croquant et la salivation provoquée par la texture en bouche des ingrédients. Le bouquet avec les herbes aromatiques ou les épices. Les sucres résiduels avec la douceur du plat. La rondeur ou souplesse avec l'amertume, le salé et l'acidité de notre assiette. En résumé les sensations gustatives doivent être à égale échelle d'intensité et de persistance pour accomplir un mariage mets et vins parfait.

EXEMPLE D'ASSORTIMENTS METS ET VINS
• Huîtres et gratiné de clémentines avec un Mendoza Torrontes Fincas Las Higueras Bodega Lurton, 2004.
• Risotto aux asperges, basilic et parfums de la Riviera avec un Marlborough Wairau Valley Villa Maria Sauvignon, 2004.
• Filet d'esturgeon fumé, caviar d'Iran, sauce au cresson avec un Riesling Spätlese Scharzhofberger Egon Müller, 2002.
• Foie gras poêlé aux épices orientales et compote de rhubarbe avec un VQA Niagara Peninsula Vidal Icewine Inniskillin, 2002.
• Côte de veau de lait panée aux herbes de Provence, millefeuille d'aubergines, poivrons rouges et tomates confites de Pechino avec un DOCa Rioja Cirsion Bodegas Roda, 2001.
• Carré d'agneau de Sisteron farci de tapenade d'olives noires et purée de cocos au piment d'Espelette avec un Colchagua Valley Altura Casa Silva, 2001.
• Ananas Victoria rôti, coulis tiède de fruits exotiques et glace au gingembre avec Neusiedlersee Muskat Ottonel Schilfwein Willi Opitz, 2003.

L'ARTICULATION DES SAVEURS

• **Plateau d'huîtres et fruits de mer avec Rías Baixas Albariño jeune**

L'aspect minéral du vin accompagne la saveur iodée du plateau, la fraîcheur de l'albariño équilibrant le gras. La structure parfumée mais légère du vin possède la même intensité et la même persistance que celles du plat.
Alternative : Sancerre blanc, muscadet sur lie, champagne blanc de blancs…

• **Risotto aux asperges et aux parfums de menthe fraîche avec un Pouilly Fumé jeune.**

Le risotto offre une sensation dominante de succulence, donnée par le grain du riz et aromatisé par la menthe fraîche ; le parmesan pendant la cuisson donne une certaine douceur. Le vin s'en accommode à la perfection grâce à l'acidité présente qui équilibre le gras du beurre. Sa bonne structure contrebalance la succulence. On trouve ici une harmonie de parfums entre le bouquet du sauvignon, les asperges et la menthe fraîche.
Alternative : sauvignon blanc de Nouvelle-Zélande, riesling de la Clare Valley en Australie…

• **Filet de bœuf grillé, pommes de terre sautées au lard de Toscane avec un cabernet sauvignon jeune de Maipo Valleyau Chili.**

La consistance du filet de bœuf, la sensation de léger gras et de fumé des pommes de terre réclament un vin de corps. Chaleur de l'alcool, présence de tanins de jeunesse, le gras généreux du cabernet sauvignon du Chili équilibrera la texture et la sapidité du bœuf.
Alternative : bordeaux en rouge, cabernet sauvignon, merlot de Californie, pinotage d'Afrique du Sud, malbec d'Argentine…

• **Filets de rougets de roche coulis de tomate frais et thym avec un Côtes-de-Provence rosé jeune**

Ce plat affirme des sensations dominantes de salé apportées par le rouget. Acidité du coulis de tomate frais et aromaticité donnée par le thym complètent le dispositif. Le Côtes-de-Provence s'accommode à merveille car il possède assez de gras et d'alcool pour équilibrer le salé et l'acidité du plat. La fraîcheur du bouquet s'harmonise avec l'aromaticité du thym.
Alternative : marsanne, roussanne et grenache de la Méditerranée, gamay et pinot noir dans leur jeunesse.

• **Côte de veau de lait poêlée au jus de truffe noir et sauté de cèpes avec un Gevrey-Chambertin âgé d'une dizaine d'années**

C'est un mariage de séduction et de parfums d'évolution entre les cèpes, le jus de truffe et le bouquet tertiaire du vin. La tendresse de la viande s'accompagne de la rondeur du pinot noir et de la succulence de l'assiette avec la structure et le bouquet du vin.

Alternative : Barbaresco, Barolo, Chianti, Rioja, Ribera del Duero d'une dizaine d'années.

• **Millefeuille de figues rôties et nougatine, crème glacée au caramel avec un Nectar de Samos jeune**

L'intensité et la douceur du dessert sont remarquables autant que la persistance. Le mariage est divin entre le sucre résiduel du Samos tout en puissance et en concentration. La chaleur en alcool du vin équilibre la succulence et le croquant du millefeuille.

Alternative : Vinsanto, Vin de Paille, Malvasia delle Lipari, Muscat de Rivesaltes…

• **Carpaccio de langoustines au caviar osciètre avec un Clos Sainte-Hune Dom. Trimbach 1997**

La pureté et le caractère minéral du vin sont remarquables. La robe jaune paille avec des reflets verts indique la jeunesse du premier instant. Le bouquet s'ouvre avec des notes de clémentines très intenses, de pierre mouillée, de poivre blanc et de pamplemousse rose. La complexité et la persistance du bouquet le rendent d'une extraordinaire personnalité. La bouche est droite, vive, minérale et généreuse. Sa profondeur se marie avec la sapidité du caviar, la structure du Clos Sainte-Hune avec la longueur en goût du plat. La douceur de la texture du carpaccio et la légère sensation grasse des langoustines s'accordent avec la délicatesse et la vivacité du riesling. Pour moi c'est un grand mariage qu'il faut essayer au moins une fois dans sa vie !

Comment bâtir sa cave ?.

Le vin est avant tout une aventure intime. La cave idéale est une question subjective qui doit avant tout faire écho aux désirs et aux plaisirs de son propriétaire, sans négliger pour autant quelques conseils de base. Le néophyte doit collecter des vins variés capables de satisfaire un éventail assez large de personnes et de situations. Ainsi est-il bon de posséder une proportion équilibrée entre les vins à boire jeunes, les vins d'âge (trois à quatre années), ceux âgés (plus de dix années), en répartissant ce choix entre vins secs, doux, blancs, rosés, rouges et champagnes.

Le choix et le budget doivent s'accorder avec la consommation que l'on fait de son vin. Il arrive que des passionnés cèdent à leur impulsion d'achat, se fassent plaisir et multiplient les acquisitions sans réfléchir aux diverses capacités de stockage, pour se retrouver in fine avec des vins trop vieux en cave.

Un simple calcul permet d'éviter cette « boulimie ». Si votre consommation moyenne à la maison est de trois bouteilles par semaine, sa multiplication par cinquante-deux indique une consommation moyenne de cent cinquante-six bouteilles par an (je sais, cela fait peur). Inutile donc de laisser prendre la poussière à cinq cents bouteilles à boire dans les deux premières années de vie… L'idéal est de répartir vos cinq cents bouteilles selon le modèle suivant : cent avec un vieillissement de plus de dix ans, trois cent quatre-vingts de vieillissement entre trois et huit ans, et vingt avec une rotation rapide de six semaines. Bues, celles-ci laisseront le champ ouvert à de nouvelles découvertes adaptées au mieux à la cuisine et aux occasions particulières en privilégiant les événements et les invités.

Notre exemple de cent cinquante-six bouteilles consommées et achetées conduit à renouveler chaque année la même quantité de cent cinquante-six bouteilles, en l'adaptant à son plaisir et à sa consommation (vins jeunes, d'âge

500 BOUTEILLES EN CAVE
3 BOUTEILLES PAR SEMAINE x 52 =156 BOUTEILLES

DONC L'IDÉAL C'EST :
100 BOUTEILLES AVEC UNE GARDE DE PLUS DE 10 ANS
380 BOUTEILLES ENTRE 3 ET 8 ANS
20 BOUTEILLES À ROTATION RAPIDE

moyen ou avancé). Si vous n'aimez pas les vins vieux, il me paraît inutile de constituer une cave. Une réserve de vingt bouteilles sélectionnées est suffisante. Pour les passionnés de vins âgés, l'idéal est bien entendu d'avoir reçu des vins en héritage. Si, comme moi, ce trésor vous a échappé, vous savez malheureusement combien il en coûte aujourd'hui de boire un vin de plus de trente ans comme le Pétrus 1961, Château Cheval-Blanc 1947, Romanée Conti 1959, Château Mouton-Rothschild 1945, Château d'Yquem 1900, soit quelques milliers d'euros par bouteille.

CONDITIONS TECHNIQUES IDÉALES POUR CONSTRUIRE UNE CAVE

- **Température et humidité** sont bien sûr les paramètres fondamentaux. L'idéal est un seuil de 12 à 14 °C constants, car le vin n'aime pas les variations, pour mieux préserver les caractéristiques et la qualité des bouteilles. L'humidité doit être comprise entre 70 % et 80 %. Un degré inférieur assèche les bouchons de liège et leur fait perdre leur élasticité. L'oxygène s'immisce alors dans la bouteille, accélérant le processus d'oxydation. Dans ce cas, mouillez régulièrement le sol permet d'obtenir un seuil d'humidité acceptable.
- **Bruits et vibrations** sont à éviter. Le vin a besoin d'un environnement très calme et d'un casier en bois qui absorbe ces désagréments. Ainsi, dans la manipulation des bouteilles, le sommelier agit avec beaucoup de délicatesse pendant le service.
- **Les odeurs** sont des facteurs de déstabilisation du vin. Les bouteilles doivent être tenues éloignées des senteurs fortes car le bouchon, poreux au contact de l'extérieur, peut les absorber et les transmettre au vin. À éviter : le fromage et la charcuterie dans la cave !
- **L'exposition** doit être au nord pour la fraîcheur.
- **L'obscurité** totale s'impose. Le verre est transparent et la lumière peut provoquer une oxydation précoce de la couleur du vin. Éclairez au minimum votre cave et n'achetez jamais des vins exposés en vitrine et détruits par les rayons du soleil.
- **Pour le stockage,** les bouteilles doivent reposer en position horizontale afin de maintenir le contact entre le liquide et le liège du bouchon et éviter une oxydation précoce. Les eaux-de-vie au degré d'alcool plus élevé que le vin risquent avec le temps de dégrader le bouchon en liège. On les stocke donc verticalement. D'une manière générale, évitez de les manipuler en les dépoussiérant ou encore en les tournant chaque jour de 1/8 comme dans la phase de prise de mousse des champagnes. Muni de ces conseils vous voilà paré pour bâtir votre cave. Et ne songez pas seulement aux sous-sols d'une imposante maison de campagne. Les citadins peuvent se rabattre sur d'excellentes armoires climatisées qui disposent de toutes les qualités pour la conservation du vin.

CHERS LECTEURS, FIN…

L'idée d'avoir partagé avec vous mon expérience et mon savoir-faire, dans un domaine où l'on ne cesse jamais d'apprendre et de progresser, est un privilège qui me rend fier et m'émeut, comme toutes les premières fois qui marquent votre existence. Le premier jour d'école, le premier but dans les filets, la première fille que l'on embrasse.

On ne naît pas dans la science du vin. J'ai voulu, avec ce livre, passer le relais d'une culture qui m'a été transmise, trait d'union entre les hommes. Comme un grand vin, ce savoir évolue, se développe, apporte des richesses insoupçonnées au fil des années. Apprendre n'a de sens que si l'on transmet ce savoir : « Respectueux et reconnaissant envers mes maîtres, je rendrai à leurs enfants l'instruction que j'ai reçue de leurs pères[1]. »

Cet ouvrage est d'abord une base technique qui s'enrichira de la sensibilité de chacun, l'interprétant à sa façon. Car le vin est aussi dans l'émotion et dans la chair. On ne donne pas de leçons avec le vin, on transmet du désir et du plaisir. Le vin est un apprentissage intellectuel, culturel, sensuel, mais aussi un exercice de curiosité, de liberté et de passion. Le vin, c'est aussi le voyage, l'ouverture au monde, une philosophie de vie. L'homme du vin est un arpenteur. Un chercheur d'or et du divin.

Mes dégustations « à l'aveugle », libérées de tout préjugé d'étiquette, ont contribué d'une façon fondamentale à la création d'un mécanisme complexe dans ma façon de raisonner et d'appréhender une méthode personnelle de dégustation. Cette méthode est devenue un instrument nécessaire pour pouvoir apprécier chaque vin, à la fois dans son unicité et détaché des modes du moment afin d'éviter toute forme de diabolisation ou d'exaltation injustifiée. Je pense que chaque vin raconte une histoire particulière, riche d'enseignements, et qu'il suffit seulement d'être prédisposé à écouter pour apprendre, avec les bons instruments et beaucoup d'humilité. Apprendre à déguster signifie trouver le génie grâce à la réflexion. Enfin, le vin peut nous apprendre aussi à réfléchir et à mieux connaître les hommes, comme la recherche minutieuse d'un secret, leçon de vie et de savoir.

En saisissant une bouteille, que ce soit dans une cave poussiéreuse ou dans un réfrigérateur, ou bien en tenant un verre entre nos mains, nous recevons des informations non seulement objectives – par exemple la température – mais aussi sensibles, qui nous prédisposent mentalement à la dégustation. Nous avons besoin de nos sens pour comprendre, capter, analyser, mais aussi pour jouir. Déguster un vin, c'est garder la tête froide en laissant son cœur s'emballer. Connaître la fiche technique, mais laisser libre cours à ses émotions. Notre plaisir en sera décuplé. Je ne connais que le vin qui invite à un tel défi.

Le vin est ce maître capable de transmettre le même message à des individus différents de culture, de sexe, d'âge qui se retrouvent unis lors d'une dégustation. Le vin est une sorte d'espéranto, un langage universel, comme la musique et la poésie sont transversales au monde.

La subjectivité comprend la capacité à s'émouvoir et à vivre une expérience que l'on gardera dans son cœur. Dans cette sphère subjective, l'aspect technique ne peut intervenir, il laisse place à l'être et à l'unicité de l'individu. L'unicité de la personne comme l'unicité du vin.

---

1. *Serment* d'Hippocrate.

Je me souviens, presque avec pudeur, de la première fois où j'ai goûté un Montrachet 1991 du domaine de la Romanée Conti. J'avais eu tant de mal à contenir ma fébrilité… De même, je ne peux pas oublier l'ailleurs de volupté où m'a plongé un magnum de Barolo Brunate-Rinaldi 1967. Sans l'ombre d'un doute, l'art de la dégustation m'a appris, à travers l'analyse et la réflexion, à exposer mes sentiments et mes pensées de façon plus juste, fort de l'idée que la vie nous réserve chaque jour d'importantes émotions qu'il est nécessaire de partager avec les autres.

On me demande souvent si je serai sommelier ad vitam æternam, il est bien difficile de répondre à une telle question. Ce dont je suis sûr, c'est que le vin a conduit le fil de ma vie intime. De sujet d'étude, il est devenu mon métier. Chemin faisant, il s'est transformé en compagnon de vie, ami généreux et sincère, fidèle et inébranlable aux changements. S'il y a de la fougue à aimer le vin à vingt ans et de la sagesse à cinquante, je tiens pour acquis que ce qui lie les amants du vin est leur curiosité insatiable à rechercher et découvrir de nouvelles pépites et sensations. Soit quelques instants de bonheur inoubliables dont il restera la trace dans le rêve du sommelier. Qui s'étonnera que le vin ait prêté à Dieu son sang?

Enfin, je tiens à saluer la France qui m'a accueilli et dont le patrimoine viticole est une richesse économique, historique et culturelle qu'il faut s'appliquer à défendre. C'est ici aussi que le «savoir boire» me paraît le mieux développé dans la population. Mais, au nom d'une campagne justifiée contre les dégâts de l'alcoolisme, le vin est trop souvent accusé à travers le monde. Boire un vin est aussi une affaire de dégustation pour un amateur éclairé et contrôlé, pas seulement de pathologie addictive. Un célèbre journaliste et critique m'a raconté qu'il avait proposé à un ami américain, producteur de vins, lors d'une importante campagne de «prohibition», d'acheter la dernière page des plus importants quotidiens du pays pour y mettre un portrait de Léonard de Vinci, Galilée, Shakespeare, avec, en légende, la phrase suivante: «Ils buvaient du vin.» Trop risqué, a jugé le vigneron. Nous sommes devenus si politiquement corrects.

La vérité est que le «nectar des dieux» s'est immiscé dans la vie de l'homme depuis les Égyptiens, les Grecs ou les Perses. Cinq mille ans que le vin se mélange à l'histoire, la culture et la civilisation, élément nutritif et source de plaisir pour les hommes. Pendant les trois heures qu'il passe à table, un individu en bonne santé peut boire deux, trois verres sans se mettre en péril. Les Grecs, lors des banquets antiques, imaginaient leurs grands traités de philosophie. La figure du sommelier existait déjà à cette époque. Il était responsable du débit des boissons et du vin. Comme moi, ce brave homme était tenu de surveiller l'ivresse, mais avec un bâton de gendarme, car celle-ci était sévèrement condamnée.

Le monde du vin est complexe et ne se prête pas à la généralisation. De grâce, évitons les dépréciations inutiles. Artistes, poètes et scientifiques ont toujours trouvé l'inspiration à ses côtés. Et rappelons qu'à quantité raisonnable de nombreux médecins admettent qu'il est bon pour la santé! Dois-je encore en revenir aux Grecs? Mon ami Kostas Touloumtzis m'a expliqué comment ses ancêtres avaient inventé les symposiums, de *sim* «ensemble», et *possis* «boire». Oui, au IVe siècle avant notre ère, les riches Athéniens invitaient des hôtes d'exception à élaborer des traités de philosophie autour d'un verre. Le maître d'hôtel s'appelait *simposiarca* et le sommelier *oinohoos*. J'espère leur être fidèle en sensibilisant moi aussi les palais, quand le vin élève les esprits.

Les mots du vin.

A

Acidification : addition d'un acide dans le moût, en général de l'acide tartrique, pour améliorer son équilibre, lors d'une année très ensoleillée. Sont aussi utilisés, mais à moindre mesure, l'acide citrique et l'acide malyque.

Acidité fixe : somme de tous les acides présents dans la structure du vin.

Acidité totale : somme de l'acidité volatile et de l'acidité fixe.

Acidité volatile : le plus courant est l'acide acétique, mais il en existe d'autres, à moindre mesure tels le formique, le propinique, succinique et lactique.

Ampélies : système de conduite de la vigne inventées par les Grecs sur l'île de Santorin, qui présente la forme d'une corbeille à l'intérieur de laquelle les raisins mûrissent à l'abri du vent.

Ampélographie : du grec *ampelos*, la vigne, et *graphein*, écrire. C'est la science de l'identification et la description des espèces de la vigne.

AOC : Appellation d'origine contrôlée.

Autochtone : cépage qui prend ses origines dans la région où il est produit.

B

Barrique : type de fût utilisé à l'origine à Bordeaux (225 litres), maintenant repris dans le monde. Dire qu'un vin est barriqué signifie qu'il est encore marqué par des notes de bois neuf.

Bâtonnage : à l'aide d'un bâton, on remet les lies en suspension dans le vin lors de son élevage. Ce processus rend le vin plus gras grâce aussi à l'intervention de l'oxygène.

Botrytis Cinerea : pourriture noble générée par un champignon qui se développe dans un environnement humide et ensoleillé influant sur la prolifération de la pourriture.

C

Cépage : nom attribué à la plante de la vigne. Il existe plusieurs centaines de cépages dans le monde comme le chardonnay, le sauvignon, le pinot noir, le nebbiolo…

Chaptalisation : addition de sucre avant ou pendant la fermentation pour augmenter le degré en alcool final du vin.

Clarification : pratique de cave qui consiste à clarifier les vins grâce à l'ajout d'albumine, colle de poisson, caséine, qui attirent les particules en suspension et précipitent les sédiments.

Clos : vignoble entouré de murs ; on le trouve souvent en Bourgogne.

Concentration : elle consiste à éliminer une partie de l'eau dans un moût en fermentation afin de concentrer les vins.

Cru : désigne une parcelle spécifique. Il peut être classé à différents niveaux : grand cru, premier cru, second cru…

Cuvée : terme utilisé pour définir un assemblage de différents cépages, millésimes, parcelles.

Cuve : récipient utilisé pour la fermentation.

D

Dégorgement : étape qui permet d'expulser le dépôt accumulé dans le col de la bouteille lors de la seconde fermentation selon la méthode traditionnelle en Champagne.

Densité de la vigne : nombre de pieds de vigne présents sur chaque hectare. Cette indication est importante pour calculer le rendement du vignoble par rapport à la récolte.

Désacidification : processus utilisé dans les climats froids pour baisser le taux d'acidité des vins.

Dosage : quantité de sucre ajouté dans un vin effervescent pour définir son style (sec, demi-sec, brut, extra-brut…).

DRC : Domaine de la Romanée Conti.

E

Eiswein-Icewine-Vin de Glace : raisins récoltés glacés lors de l'arrivée de la neige dans le vignoble ; tout le processus de vendange et de vinification doit se faire à une température inférieure à −7 °C. Ici les sucres se concentrent par le froid.

Élevage : période de maturation du vin après la fermentation jusqu'à la mise en vente des bouteilles.

F

Fermentation alcoolique : transformation des sucres présents dans le raisin en alcool plus le CO_2. Plus on aura une année chaude, plus il y aura de sucre, par conséquent, plus riche en alcool sera le vin.

Fermentation malo-lactique : transformation de l'acide malique en acide lactique plus le CO_2. Les vins deviennent moins verts, car l'acide malique est plus acide que le lactique. Tous les vins ne subissent pas cette fermentation.

Filtration : opération qui consiste à filtrer le vin lors de la vinification pour éliminer les bactéries et les levures.

G

Goblet : système de conduite de la vigne datant de l'époque romaine, très utilisé dans le vignoble du Bassin méditerranéen. La vigne pousse en taille basse de façon à former un ensemble similaire à un vase.

Guyot : système de conduite de la vigne d'origine française en taille longue, permettant la pousse du raisin sur un bras (guyot simple) ou deux(guyot double).

H

Hybride : cépage obtenu par croisement des deux espèces, par exemple *vitis vinifera* et *vitis lambrusca*.

L

LBV : Late Bottled Vintage. Typologie de porto millésimé qui a vieilli en fût entre 4 et 6 ans.

Levures sélectionnées: ce sont des agents sélectionnés qui provoquent la fermentation, car en absence d'oxygène, ils transforment le jus de raisin en vin.

M

Macération carbonique: technique de vinification qui consiste à faire fermenter les raisins dans une cuve fermée hermétiquement avec la présence d'anhydride carbonique.

Méthode traditionnelle ou classique: vin effervescent obtenu par une deuxième fermentation en bouteille du type champagne.

Millésimé: vin obtenu par des raisins provenant d'une seule récolte.

Moût : stade intermédiaire de la pulpe entre le jus de raisin et le vin.

Mutage: opération qui consiste à ajouter une quantité d'alcool dans un moût de vin pour permettre d'arrêter la fermentation et de garder des sucres résiduels.

N

Non millésimé: désignation d'un vin qui n'est pas produit par des raisins provenant d'une seule récolte, mais de l'assemblage de plusieurs années.

O

Osmose inversée: technique de concentration du vin lors de la vinification.

Ouillage: opération qui consiste à colmer les fûts pendant la période d'élevage, afin d'éviter une oxydation.

Oxydation: phase trop avancée du vin. L'oxygène a modifié les caractéristiques du bouquet et c'est un moment trop tardif pour apprécier ses qualités. Sauf pour les vins à style oxydatif tels madère, marsala, xérès, vin jaune…

P

Pergola: système de conduite de la vigne d'origine italienne, qui permet de faire grimper la vigne en hauteur.

Phylloxera: maladie mortelle de la vigne, d'origine américaine, qui a détruit la plupart des vignobles dans le monde. Elle est arrivée en Europe à la fin du XIXe siècle. Pour se protéger on utilise un portegreffe.

Portegreffe: hybride d'origine américaine sur lequel on greffe un *vitis vinifera* pour le protéger du phylloxera.

R

Réduction: phénomène opposé à l'oxydation, qui dévoile des notes animales. C'est une période peu favorable car le vin se goûte mal, le corps étant souvent trop dur. Il suffit de décanter le vin et de le laisser respirer un peu de temps.

S

Sédiments: particules qui peuvent être présentes dans les bouteilles ou dans des fûts lors d'un vieillissement prolongé. Spécialement pour les vins qui n'ont pas eu de clarification ou de filtrage.

SGN : Sélection de grains nobles. Après une vendange tardive on attend l'arrivée du champignon noble (*Botrytis Cinerea*) qui dessèche les raisins avant d'effectuer la récolte. En Allemagne, correspond au TBA (Trockenbeerenauslese).

Soutirage : transférer le vin dans un autre récipient (généralement en fût) pour le séparer des lies et des sédiments.

Sur lie : vin qui reste en contact avec ses lies pour acquérir plus d'arômes. La prise de mousse sur lie pour les effervescents permettra au vin de vieillir plus lentement.

T

Terroir : ensemble de situations géologiques – le sol – ampélographique de la vigne conditionné par le climat. Le terroir correspond à la pièce d'identité de chaque vin.

V

Variétal : terme qui indique les vins de cépages.

Vendanges tardives : récolte tardive du raisin dont on obtiendra un vin doux. En Allemagne, il correspond au Spätlese et à l'Auslese, en rapport avec le temps d'attente avant la récolte.

Vieilles vignes : vignes âgées, elles donnent des vins plus concentrés car elles produisent moins de raisin. On commence à parler de vieilles vignes à partir de quarante ans.

Vieillissement en bouteille : séjour de maturation en bouteille du vin après les vinifications et l'élevage en fût.

Vieillissement en fût : séjour de maturation du vin en fût après la fermentation.

Viguer : prédisposition de la vigne à produire beaucoup de feuillage. Une vigne vigoureuse aura plus de mal à permettre au raisin de mûrir facilement. Dans ce cas, il faudra appliquer le feuillage.

Vin de garage : obtenu dans une petite propriété, voire un garage, qui produit très peu de caisses par an.

Vitis vinifera : espèce d'origine européenne dont font partie les cépages les plus connus comme le merlot, la syrah, le cabernet franc, le riesling, le muscat…